これが日本の正体！

池上彰への42の質問

池上彰

大和書房

はじめに

日本を、そして世界を席捲した新型コロナウイルスによる感染症は、日本社会のさまざまな側面を赤裸々に示しました。

世界の多くの国がロックダウンで国民の自由な行動を強制的に禁止したのに対して、日本の政府がやったことは「自粛要請」でした。「自粛」は自分が自主的にするものであって、「要請」を受けて実行するのでは「自粛」でなくなってしまいます。実に奇妙な手法だったのですが、多くの国民は、ちゃんと「自粛」しました。秩序だった日本社会の行動は、世界から称賛されました。

その一方で、しっかり自粛しているかどうかを監視し、告発する「自粛警察」なる行動も出現しました。自粛は監視されたり管理されたりするものではないのですが、自粛を守っていないと非国民扱いされるなど、閉鎖的な日本社会の影も見えてしまいました。

さらに日本のデジタル化の遅れも白日のもとにさらされました。日本は先進国だと思っていたのに、行政手続きのオンライン化の遅れや、学校現場でのオンライン授業の立ち遅れなど、絶望的な状況を示しました。欧米ではワクチン接種済みであることを示す「ワクチンパスポート」がデジタル化されてスマホで示せるようになり、飲食店や劇場の入場に活用されていますが、日本は二〇二一年九月の段階では、ようやく議論が始まったところです。

政府は企業に在宅勤務やリモート会議の活用を呼びかけていますが、国会議員たちは、国会のリモート会議の検討すらしていません。鼻を出したままのウレタンマスクをしている議員たちを見ていると、絶望的な気分にすらなります。専門家たちは、「ウレタンマスクは効果が限定的。不織布マスクを着用してください」と呼びかけているのに。

こうやって見て来ると、がっかりすることばかりのようにも見えますが、物事を印象論で片付けてしまってはいけません。きちんとしたデータを元に論じ、諸外国と比較しなければ、日本の「正体」は見えてきません。

そこで、この本は「政治」、「制度」、「教育」、「女性」、「働く」、「経済」、「グローバル」の七つの章に分け、日本社会の「正体」に迫っていくことにしました。日本の総理大臣は、なぜ国民が直接選べないのか。総理大臣の虚偽答弁がなぜ問題にされないのか。世襲議員は海外にはいないのか。日本人は長時間労働なのか、等々、四二項目の素朴な疑問に答えていく構成になっています。

物質に恵まれ、紛争も戦争もなく、民主的な現代の日本ですが、その裏には未発達な部分やゆがめられてしまった制度も多くあります。日本の常識が、海外では非常識と捉えられることもあります。この本が、何かを考え、何かの行動を起こすきっかけになれば。そう思いながら書きました。

二〇二一年九月

ジャーナリスト　池上彰

『これが日本の正体！池上彰への42の質問』

目次

第3章 教育

第6章 経済

第7章 グローバル

第1章
政治

Q1 日本は国会議員の数が多い？

日本は外国に比べて国会議員の数が多い、という声を耳にします。
実際は、どうなのでしょうか。

議員数は、決して多くない

現在（二〇二一年）衆議院の定数は四六五人、参議院は二四五人です。つまり日本の国会議員は七一〇の定数で、数の多さだけで言えば、世界でも九番目になります。

しかし、人口一〇〇万人に対する議員数となると、日本はおよそ五・六人。世界平均の約八〇人を大きく下回ります。ただ、人口や国土の広さなど、国によって事情は違いますから、この数字だけで多いか少ないかの判断をすることはできません。ちなみにスウェーデンは約三七人、フランスは一四人、ドイツは八・五人となっています。イギリスは二二・五人ですが、これには貴族院の議員も含まれています。イギリスの貴族院というのは、歳費も払われないという名誉職ですが、これを除いても一〇人を上回ります。韓国も六人を超えていて、こうして比較すると、日本の議員数は、決して多いほうだとはいえません。

一九四七年五月三日、日本国憲法施行により貴族院が廃止され、参議院が設立されました。この直後に召集された第一回国会の議員数は、衆議院が四六六人、参議院が二五〇人でした。この時の数が、現在の定員数の基本になっていると考えていいでしょう。

両院合わせて七一六人でしたから、現在の七一〇は、わずかながら減っていることになります。さらには、一九四〇年代から五〇年代にかけての日本の人口は、およそ八〇〇〇万人。一〇〇〇万人に対して九人近くの議員がいたわけですから、その後人口が増加しても議員の割合は減り続けたことになります。

選挙区によっては人口の増加にともない、定員を大幅に増やしたところもあります。しかし、総数では七〇年以上の期間に六人の定数が減らされています。これは、政治改革を行おうとするときに、「身を切る」という言い方をして、定数を減らしてきた経緯があるからです。議員の不祥事などが発覚すると、そのたびに「歳費が高い」「議員は働いていない」などと批判されてきました。そういった批判に対して「身を切る政治改革を進める」という言い方をして、わずかながらですが、議員の数を減らしてきたのですね。

政治を身近に感じにくい

「日本の国会議員は多いのでは？」という声はたしかに聞きます。でもこれは、単なるイメージで、人口比で見ると、世界でも多いほうではない。ではそのイメージはどこからきているのか。一つは、議員や候補者の活動が見えない、ということだと思います。国会議員は何をしているのか、また議員になろうとする候補者は何をしようとしているのか、という具体的なことがよくわからないので、働いていない議員が多いのでは、というイメージにつながっているのではないでしょうか。

以前取材したイギリスの下院選挙では、各政党の党員がボランティアで戸別訪問をするんですね。それは熱心に、「わが党は、こういうことをやります」と言いながら、パンフレットを配って各家庭を回ります。これによって有権者は、政党や候補者の活動を知り、政治が身近になっていくのです。

アメリカも選挙のときには、党員や支持するボランティアが戸別訪問をしていますね。ただアメリカの場合、投票するには事前に有権者登録をしなければなりません。有権者に自動的に「投票所への入場券」が送られてくる日本とは大きく違っています。

つまり、自分で投票する権利を獲得しなさいよ、という構造になっているわけです。そうなると政治意識も高くなる。ただし、そのシステムがあるために、投票率はそんなに高くありません。有権者登録をしない人も多いのです。下院議員選挙、上院議員選挙、大統領選挙もそうですが、投票率は全国平均で六〇％ぐらいで、日本と大差はありません。非常に熱心なボランティアが活発に動いているところばかりがニュース映像で届けられるので、アメリカの人たち、あるいは若者たちは、政治に熱心だというイメージが植えつけられているとも言えます。ただ二〇一六年以降、ドナルド・トランプが政治に全く関心のなかった人たちを掘り起こして、彼らが共和党員になり、トランプを当選させようと押しかけて投票率をあげました。そういう中に過激な連中が混ざり、ついには連邦議会を襲撃する事件まで起こりました。

またアメリカでは、有権者登録をするときに、支持政党を書くことになっています。共和党支持か、民主党支持か、あるいはインディペンデント、つまりそれ以外ですね。だからといって、表明した通りに投票する義務はありません。実際には、登録時と違う政党の候補者に投票することもあります。ただ、登録した名簿は、誰でも見られるようになっています。すると、各候補者の陣営は役所で名簿を手に入れ、それをもとに戸別訪問をするわけです。日本の役所でそんなことをしたら「プライバシーの侵害だ」といって大変なことになりそうですが、これも意識の違うところですね。

ですからアメリカの戸別訪問は、勧誘ではなく、「当日も本当に投票してね」、「期日前投票をしてね」あるいは「郵便投票をしてね」と、有権者に確認して回るのが目的です。わざわざ対立政党の支持者のところにいって説得を試みるのは時間の無駄ですし、州によっては、いきなり知らない家の敷地に入っただけで銃で撃たれることもあり、それが正当防衛になったりしますから。

日本では、公職選挙法によって、戸別訪問が禁止されています。その代わりに何をやるかというと、選挙カーからの候補者の名前の連呼です。あれだけで候補者の公約や人となりを知ることは、ほとんど不可能です。これは、選挙や政治を身近に感じる上で、大きな障害になっていると言わざるを得ません。戸別訪問禁止の理由は、買収などの不正行為を防ぐためとされていますが、戸別訪問は候補者や政党を知る大きな手段でもあるのです。

政治家の活動が不透明だという点においては、選挙で掲げた公約がどの程度果たされたか、ということがはっきり示されないのも要因の一つでしょう。

二〇〇三年の衆議院選挙では、当時の民主党が「マニフェスト」の作成を発表しました。他の政党もこれにならうようにマニフェストを掲げました。また地方選においても、当時の北川《きたがわ》正恭《まさやす》三重県知事がローカル・マニフェストを掲げ、マニフェスト選挙と呼ばれました。

マニフェストは単なる「公約」ではなく、検証可能な公約なので、「政権公約」と訳されています。つまり、きれいごとを並べるのではなく、具体的な数字などを入れて、自分たちが政権を取ったら、こういうことをやりますよ、ここまで達成しますよ、と選挙前に明らかにして有権者に伝えます。

二〇〇九年に政権与党となった民主党は、定期的にマニフェストの内容の達成度合いを発表し、新聞各社も熱心に報じました。これによって国民は、政治や議員に対して、関心を寄せたのではないでしょうか。この第一次民主党政権でマニフェストを実現させたのが、高校の授業料無償化や子ども手当などでした。どの予算を削減して、どこに充当させるかなど、検証可能なところが大きな特徴でした。

ところが二〇一二年の総選挙で自民党が勝利し、安倍政権になると、検証可能なマニフェストは消え、元に戻ってしまいました。

国会議員の数を減らすのは危険

このように日本は国会議員を選ぶ選挙においても、また議員の活動においても、国民が政治を身近に感じにくい状況にあるかもしれません。ただ、実際の議員の活動や政治の動きは、ニュースや新聞で詳しく報道されています。ネットニュースのヘッドラインだけでなく、もっと関心を持って彼らの言動を追えば、国会で居眠りする議員や選挙で不正を働く議員も減るかもしれませんよ。

そしてここで大事なことは、国会議員は国民の代表だということ。その議員が多いから減らせばいいというのは、国民の意見の数を減らすのと同じで、危険なことです。さまざまな声を代表する議員が少なければ、それだけ少数意見も取り上げられにくくなりますし、強い者の政治になりかねません。議員の数を減らすことよりも、自分たちの選んだ（選ばなかった）代表がどんな仕事をしているのかを監視することのほうが先だと思います。それによって、まるで働いていない議員を次の選挙で当選させないこともできますし、議員の政治活動にも緊張感が生まれることでしょう。

図1　世界の国会議員数 国別ランキング(2021年)

順位	国名	単位：人
1	中国	2,975
2	イギリス	1,442
3	イタリア	950
4	フランス	925
5	エジプト	891
6	インド	781
7	ドイツ	778
8	タイ	739
9	日本	708
10	エチオピア	700
11	北朝鮮	687
12	ミャンマー	641
13	メキシコ	628
14	ロシア	620
15	スペイン	615
16	コンゴ民主共和国	609
17	アルジェリア	603
18	トルコ	600
19	ブラジル	594
20	キューバ	586

出典・参照：IPU(Inter-Parliamentary Union)を参考に作成

※ アメリカは533人で24位

Q2 日本の首相は、なぜ直接選挙で選ばれない？

海外では、大統領など、国の代表を直接選挙で選ぶ国がありますが、日本の首相はそうではありません。「総裁選」は、国民の意見が反映されているようには見えません。なぜこういうシステムになっているのでしょうか。

日本の国家元首は誰か？

国のトップは国家元首です。日本では明治以降、天皇が国家元首でした。それを補佐するのが内閣であり、その内閣の一番上に立つのが「総理」で、「首相」とも呼ばれます。ちなみに「総理」は内閣総理大臣の略称で、「首相」は行政機関のトップを意味しています。つまり日本の総理（首相）は天皇を補佐するための存在で、だから議会から選ばれてきたのです。

第二次世界大戦後、日本国憲法が施行されて、天皇は国の象徴となりました。では、日本の国家元首は誰なのか。これは憲法にも明文化されていません。ですが、現在も海外からは、天皇が国家元首の扱いを受けています。たとえば、世界各国の大使が日本にやってくるとき、それぞれの国の国家元首からの親書を携え、天皇に届けます。また日本の大使が海外に行くときも、皇居での認証官任命式を経て、日本の代表として各国に赴《おもむ》きます。

日本と同じような形になっているのが、国王や女王のいる国です。イギリスには女王という国家元首がいますが、そもそもは国王（女王）を補佐するために議会ができ、そこから首相が選ばれるようになりました。やがて議会が国王からさまざまな権力を奪い取り、結果的に国王はシンボル的な国家元首になりました。議院内閣制をとっていて、首相がいるところは、女王または国王がいるということです。イギリスをはじめ、デンマーク、スウェーデン、ノルウェーの北欧、スペイン、オランダなどがそうですね。

直接選ばれる国家元首

一方で、国王などがいない国では、国家元首を選ぶ必要がありました。たとえばフランスやロシア。どちらも革命で国王を処刑し、国家元首という存在がなくなっていたからです。そこで、国民が直接選んだ国の代表者が大統領なのです。韓国は日本が占領して李王朝が消滅していたので、国民が大統領を選ぶことになりました。フィリピンも植民地から独立を果たしたので、同様に大統領がいるのですね。こうした大統領は国民から直接選挙で選ばれているため、圧倒的に権力を持った国家元首といえます。

ドイツはこれらとは違っていて、連邦議会の最大党派のトップが首相になるのですが、象徴的な国家元首として、大統領を議会で選んでいます。あくまでも象徴的な存在であり、政治的権力は持っていません。インドも同様で、イギリスから独立したときに政治権力は議会が握ったまま、国家元首を象徴として議会が選ぶようになったのです。

日本でも首相が直接選ばれる日が来るか？

国民に直接選ばれても、議会に選ばれても、大統領は国家元首です。一方で、そこには議会があり、内閣があり、行政の長である首相がいることになります。ですから、いくら政治権力を持った大統領がいても、閣議や議会を開くのは首相です。

その点において例外的なのが、アメリカ。アメリカ大統領は国家元首であり、首相も兼ねているのです。他国の大統領と違って、大きな権力を握っています。そしてご存じのとおり、アメリカ大統領選挙は「選挙人」を選ぶという制度で、直接選挙ではありません。

イスラエルには象徴的な国家元首として大統領がいるのですが、一時、首相を公選にしたことがあります。イスラエルにはじつに多くの政党があって、選挙で第一党になっても他の政党と連立を組まなければ議会で政権を維持することができません。そこに首相を公選にしたところ、連立政権と協調できず、議会と首相はぎくしゃくした関係に陥って何も決められなくなってしまいました。結局一九九六年から三度行われた首相公選は、二〇〇一年に廃止になりました。

日本でも、国民による首相公選の議論は度々起こりました。中曽根《なかそね》康弘《やすひろ》元首相や小泉《こいずみ》純一《じゅんいち》郎《ろう》元首相も、一国会議員の時代に首相公選を訴えていました。ところが両者とも、首相になると、積極的に推し進めようとはしませんでした。

明文化された国家元首がいない日本で首相を公選にした場合、国民から直接選挙で選ばれた首相が国家元首のような立場になります。そのことは、国家元首は天皇ではない、ということになる可能性があります。そこで、「天皇こそが国家元首だ」と考える人たちから首相公選に反対する意見も出ています。しかもイスラエルのように、連立政権の中心になっている政党とは別の政党の候補者が首相になると、政権運営に支障が出るという意見もあるのです。

Q3 国会での虚偽答弁がなぜ許される？

衆議院の調査局によると、「桜を見る会」の前夜祭をめぐる問題で、二〇一九年から二〇二〇年にかけて、当時の安倍首相は一一八回の虚偽答弁をしたことが明らかになっています。これで、何の処罰もないまま許されるのは、どうしてでしょう。

民主主義の根幹をゆるがす問題

国会の証人喚問の場において、虚偽の陳述をした場合には、偽証罪が適用されます。ところが、それ以外では、虚偽の答弁が明らかになっても、ペナルティーはありません。しかし、だからといって議員にせよ官僚にせよ、虚偽の答弁が許されるはずはありません。

国会は国の最高機関であり、その場での虚偽の答弁は、民主主義の根幹をゆるがす大きな問題です。にもかかわらず疑わしい答弁は後を絶たず、その大半は、「結果として事実に反するものがあった」「誤解を与えたとしたら遺憾」という形で、いかにも意図的ではないという印象を与えて逃れようとします。しかしどうひいき目に見ても、安倍氏の一一八回の虚偽答弁が意図的でないとは思えません。「桜を見る会」の件にしても、安倍氏が事実と異なる発言だったと認めたのは、秘書が政治資金規正法違反の罪で略式起訴されてからでしたから。

現状では、国会で議員の虚偽の答弁があったとしても、何らかの処罰があるわけでもなく、ましてそういうペナルティーを自ら設けるとは考えにくいですよね。ならば、嘘が分かったら、次の選挙で必ず負けるような構造になれば、虚偽答弁は減っていくのではないでしょうか。虚偽の答弁をしても、結局は議員としての身は安泰だし、政権も維持できるわけです。それを変えるチャンスが選挙のはずです。こう言っては身も蓋もありませんが、やはりこれは国民の責任です。

答弁を作成するのは官僚

官僚の虚偽の答弁は、議員の場合と少し違ってきます。

各省庁の官僚組織は、あくまでもそのときの政権の内閣を補佐し、支えていく存在です。政策なり法案なり、内閣から示された案件を調査し、いかに進めるか、それとも無理ならばそう進言する役割を担っています。内閣のシンクタンクであり、下請けとも言える存在なのです。

どの議員も大臣も、すべてのことに精通しているわけではありませんから、各省庁の専門の官僚に相談し、意見を仰ぐのは当然のことといえます。しかし、国会での答弁書が官僚の手によって書かれている現在の状況は、いかがなことかと思われます。

国会の会期中、各省庁の官僚は、翌日の質問者に対して、「どんな質問をしますか」と聞いて回ります。これを「質問取り」といいます。自分の役所に関する質問があるとわかれば、その専門の部局が答弁を作成し、答弁者の大臣に届けられます。さらに説明が求められる場合には、当日の早朝、直接大臣に説明します。

あらかじめ質問の内容がわかり、それに答えるのが国会ならば、そもそも出来レースではないかという指摘もあります。しかし、すべての質問が、即座に答えられるほどの簡単な内容ではなく、事前に知らされていなければ、議事が進まなくなってしまいます。

ですが、だからといって官僚が答弁を書くというのは、本来おかしなことです。ＥＵ離脱だけを掲げて選ばれたイギリスの首相でさえ、原稿をそのまま読むようなことはしていません。野党の激しい追及にも、官僚のメモもなく、丁々発止のやりとりをしています。

日本では、官僚が書いた答弁をそのまま読むのが慣例となり、勉強もしていない無能な人物でも、大臣が務まるようなシステムになっているということです。

官僚も身を守る

内閣からの指示が法律に触れるようなことであれば、官僚も拒否できます。法律に違反していなくても、それが国や国民のためにならなければ、それを意見として述べるべきですし、そのような歴史があることも確かです。ただ、これは、内閣によって異なります。

第七八代内閣総理大臣の宮澤喜一《みやざわきいち》という人は、「総理大臣というのは絶大な権力を持っているんだ。それだけに、権力の行使においては抑制的でなければいけない」と言い、あまり権力を振り回すことなく、官僚の意見をなるべく尊重しようとしました。昭和最後の第七四代内閣総理大臣の竹下登《たけしたのぼる》も「その問題は司司《つかさつかさ》に任せます」と、官僚を持ち上げました。これはある意味、丸投げとも言えるのですが、官僚は自分たちが国を動かしているという責任を感じ、やる気を持って仕事にのぞめます。

ところが安倍晋三《あべしんぞう》内閣や、その後継の菅義偉《すがよしひで》内閣は違っていました。そもそも自民党の総裁選挙で「自分の言うことを聞かなかった者は異動させます」と明言したわけですから、官僚は何も言えなくなってしまいますよね。事実、安倍政権下では、内閣に意見した官僚が何人もその役職を解かれています。

二〇〇八年に始まった「ふるさと納税」は、当時の菅義偉総務相の肝《きも》いりの政策でした。その後官房長官となった菅総務大臣は、総務省の自治税務局の局長に、寄付上限額の倍増を指示します。しかし、上限額を倍にすれば、自治体から寄付者への返礼品が高額になり、競争が過熱する可能性があります。それを懸《け》念《ねん》して指摘した自治税務局長は、すぐさま異動させられました。これはまさに恐怖政治であり、官僚も委縮してしまいます。

「Ｇｏ　Ｔｏキャンペーン」にしても、経産省だけでなく関係する国交省や農水省などとしっかり協議しながら進めていれば、あとから出た問題の多くは避けられたはずですが、官邸の意向で見切り発車となりました。さらには、政府の分科会（新型コロナウイルス感染症対策分科会）の尾《お》身《み》茂《しげる》会長らは、「Ｇｏ　Ｔｏトラベル」の開始を遅らせるように進言したそうですが、菅官房長官、二《に》階《かい》俊《とし》博《ひろ》自民党幹事長は聞き入れず、実施に踏み切りました。その結果は、みなさんのご存じのとおりです。

　こういった恐怖政治の結果、何が生まれるかというと、忖《そん》度《たく》の空気なのです。虚偽答弁が政治家の指示なのか、官僚の忖度なのかは不明です。ですが、官僚にも家族や生活があり、キャリアを失いたくないのは当然です。こうした背景があるからこそ、政治家の不始末や不祥事を隠そうとして、虚偽の答弁になっていくのです。

政治主導と官僚主導

政治主導が大事だとよくいわれます。官僚は試験に合格して官僚となったのであって、国民から選ばれたわけではない。一方の政治家は、国民の代表として選ばれている。だから、さまざまなことは政治家の主導のもとに決めていけばいい、ということです。

建前としては、その通りです。しかし、政治家のレベルが低いと、とんでもないことが起こってしまいます。さらには、国のために働きたいと思って、難関を突破した優秀な官僚も、政治家の尻拭《しりぬぐ》いに追われていては、やる気を失ってしまいます。

かつては東大生の一番人気だった官僚職ですが、現在はそうではありません。優秀な人材が離れていけば、官僚のレベルもまた低くなっていくことになります。

Q4 公文書の破棄や改ざんは、日本だけ？

国民にとって大事な公文書が破棄されたり改ざんされたりした、というニュースが後を絶ちません。しかも、当事者が起訴されることも滅多にありません。日本はなぜこんなことになっているのでしょうか。

公文書が大量に消えた

公文書というのは、国や地方公共団体の機関、もしくは公務員が職務上作成した文書のことです。国をはじめとする公共機関の意思決定や行動を、その後国民が検証するために必要な大事な記録です。

ですから、これを保管期限のルールを無視して破棄したり、内容を書き換えたりするのは、犯罪になります。しかし日本では、後に検証されては困るような、政権に都合の悪い公文書が処分されている情けない状況にあります。しかも証拠がなかったり「誤解」として扱われたりで、なかなか立件には到りません。

日本の公文書に対する感覚と体質を表した出来事が、終戦直後にありました。一九四五年八月一六日、日本が連合国に無条件降伏した翌日のことです。アメリカ軍の偵察機が東京の上空から、あちこちで煙が上がっているのを発見します。もちろん空襲や火事ではありません。その煙というのが、役所に保管されていた文書が一斉に燃やされていたためのものだったのです。つまり、後に行われる軍事裁判で、政治家や軍人が戦争犯罪人として問われることを免《まぬか》れるため、破棄を命じたのです。この公文書の焼き捨ては東京だけでなく、全国で組織的に行われました。

二〇〇七年、当時の安倍首相は従軍慰安婦問題において、「強制連行を示す証拠はなかった」と国会で述べました。たしかに「証拠はない」のでしょうが、それは「そういう事実はなかった」ということとは異なります。本当は、そういう事実はあったけれど、終戦後に証拠となるものが破棄されてしまっていただけなのかもしれないのです。都合の悪い資料を破棄していると、「証拠はない」と言っても信用されなくなってしまうのです。

二〇一六年には、南スーダンにおける自衛隊の日報が「破棄されて存在しない」とされていましたが、データで残っていることが判明し、問題になりました。森友《もりとも》学園、加計《かけ》学園の問題においても、公文書が改ざんされたり、記録が残っていなかったりで、結果的には安倍首相の関与はうやむやにされました。政府の指示なのか官僚の忖度なのか、それこそ証拠となるものがなく、国民にはわかりようがありません。

公文書管理と公開の先進国、アメリカ

「情報が行き渡っていない、あるいは入手する手段のない『人民の政府』なる存在は、笑劇か悲劇の序章か、あるいはその両方以外のなにものでもない。知識は無知を永遠に支配する。だから、自ら統治者となろうとする人々は、知識が与える力で自らを武装しなければならない」

これは第四代アメリカ大統領のジェームズ・マディソン（一七五一年〜一八三六年）の言葉です。アメリカでは古くから、情報の管理と公開に関して、意識が高かったことがわかります。

そのアメリカでは、一九三五年に国立の公文書施設が設立され、一九八五年から国立公文書記録管理局（NARA）として独立機関になっています。全米のあらゆる公文書（写真や動画、コンピュータデータも含まれる）の中で歴史的価値があると認められたものが集められ保管されています。日本にも国立公文書館がありますが、その規模、情報量においては、アメリカの足元にも及びません。

一九七一年の沖縄返還協定にともない、日米間で核兵器の持ち込みなどに関する密約があったのではないかという疑問に、日本政府は一貫してその存在を否定していました。ところが情報開示禁止の期限が過ぎた「密約に関するメモ」が、アメリカの国立公文書記録管理局で発見され、最終的に密約の存在が明らかになりました。

日本では二〇〇一年に情報公開法が、二〇一一年には公文書管理法がそれぞれ施行されました。つい最近のことです。つまり、それまでにどれほどの公文書や情報が記録されず廃棄されたのか、ということが大きな問題なのです。

Q5 マスコミは政権の顔色をうかがっている？

「国境なき記者団」が発表する二〇二一年の「報道の自由度ランキング」において、日本は六七位になっています（調査対象は一八〇の国と地域）。報道に関して、政府からの圧力などは、あったりするのでしょうか。

報道は自由……だが

政府に批判的な報道をしたからといって、日本では削除や改変を求められたりすることはありません。どんなことであっても、それが事実であるかぎり、報道の自由は保障されているといっていいでしょう。

ただ、海外から見て日本の報道の自由度が低い理由のひとつに、「記者クラブ」の存在があげられるでしょう。記者クラブの歴史は、明治時代の帝国議会ができたときにまでさかのぼります。当時、新聞記者の地位はとても低く、記者たちが議会を取材しようとしてもまるで相手にされず、門前払いされていました。

そこで記者たちは、会社の垣根をこえて団結し、議会と交渉の末に、取材が認められるようになりました。それが記者クラブの始まりです。戦後、報道の自由が認められるようになると、記者クラブは強い力を持つようになります。その力とは、既得権ですね。

あなたがニュースで見る記者会見、各省庁が開いていると思っている人も多いかもしれませんが、あれはそれぞれの記者クラブが主催しています。官邸や各省庁が主導して記者会見を開くとなると、気に入られていないメディアは参加を拒否されたり、質問に答えてもらえなかったりする可能性があります。それを避けるために、記者クラブが主催することになったのですが、これが既得権化します。

各記者クラブには、二か月ごとに交代する持ち回りの幹事社というものがあり、だいたい新聞社一社、放送局一社で構成されます。その幹事社がすべての記者会見を設定することになっています。

つまり、記者クラブに所属していないメディアの記者は、記者クラブの許可がないと記者会見に参加できないことになります。記者クラブとすれば、各省庁などに常駐して記者会見を設定し、責任を持って運営しているので、そこに参加したければ記者クラブに入って運営にも携われ、ということなのですが、フリーランスの記者や海外のメディアは、常駐がかないません。その結果、フリーランスも海外の記者もなかなか許可を得ることができず、これが「報道の自由度ランキング」の順位に影響しているものと思われます。ただ、最近は海外からの批判もあり、記者クラブ以外の記者も参加を認められるようになってきています。

二〇〇九年からの民主党政権時代、政府がフリーランスにも自由な取材を認めたことがあります。政府取材の歴史に大きな風穴《かざあな》を開けた出来事でした。ただ、この場合、いくら自由にといっても誰でもいいというわけにもいきません。野次《やじ》をとばしたり会見を妨害したりするのが目的の「自称記者」が紛《まぎ》れ込まないとも限りません。そこで、参加の目安とされたのが、記者としての実績でした。定期刊行物や書籍などに掲載された記事が実績とみなされれば、取材を許されることになりました。

報道が完全な「自由」にならない、現実の問題があるのです。

アメリカは自由？

さまざまな記者が質問できるようになっている、と言われるアメリカ大統領や大統領報道官の会見ですが、実際はどうなっているのでしょうか。

日本よりはるかに世界から注目されるアメリカ大統領や報道官の会見には、世界各国から記者が集まります。そこで取材を許されるには、ホワイトハウスの記者として登録されなければなりません。どんなメディアの記者であろうがフリーランスであろうが、まず記者登録をします。ところが、申請書を出してから審査が終わるまで、とんでもない時間がかかるのです。次回の記者会見に出たいからといって、その時点で申請をしても間に合うはずがありません。
申請した記者がテロリストの可能性もありますから、身元調査も慎重になり時間がかかるのはわかりますが、これではワシントンに常駐できるメディアの記者でない限り、なかなか取材はできません。

さらには、記者会見の席はほぼ決まっていて、アメリカの主要メディアが前方の席を占《し》めていますから、日本の記者が参加できても後方に追いやられてしまいます。まして「質問は？」の問いに手を挙げたとしても絶対に当ててくれません。

自由の国アメリカといえども、政府関係の取材となれば、現実の問題や慣例に直面するのも事実です。ただ日本とアメリカを比べれば、日本のほうがまだまだ閉鎖的で、批判されても仕方がないでしょう。

圧力か自主規制か

私が在籍したＮＨＫでは、「記者は中立公正でなければならない」ということを叩き込まれます。つねに客観的な報道を目指すため、政権の主張をそのままに伝えると、政権の主張の垂れ流しではないか、との批判を受けることもありますが、それでも、あるがままに報道する立場をとっています。これは、報道の解説も同じで、批判的に伝えることはしないようになっています。

ところが、中立公正な報道であっても、政権側からは批判的だと捉えられることもあります。批判をしているわけではないので、あくまでも受ける側の「印象」になります。以前はこういった「批判的な印象」に関して、内閣府からの反応はなかったのですが、第一次安倍政権の頃から、様子が変わりました。

ＮＨＫの報道スタンスは中立公正ですが、番組や出演者によっては政府に批判的な意見があるのは当たり前で、民放においても同様です。すると、安倍政権以来、官邸から抗議の電話が頻繁に入るようになりました。抗議とはいっても「圧力」ではないんですね。「あんな放送は許さん！」ではなく、「誤解があったようだから政府の言い分を説明したい」とか「正確じゃなかったから修正をお願いしたい」とかいう内容です。政権に関するあらゆる番組を録画し、チェックして、政権のイメージダウンにつながりそうであれば抗議がくるということになりました。

それがあまりに頻繁になると、各局とも無視できなくなり、対応を考えざるをえません。結局、抗議の度に責任者が官邸に行き、説明したり説明を受けたりをすることになります。するとどうなるのか。「ここまで言うと、また抗議が来て面倒だからやめておこうか」という空気が流れ始めるのです。「圧力」ではない「抗議」が生んだ、放送側の自主規制。こういう構造が、第一次安倍政権のときから始まりました。

抗議の次は

第二次安倍政権下になっても、官邸からの抗議は続きます。さらには、不可解な現象も起きます。

二〇一四年、ＮＨＫの『クローズアップ現代』というニュース番組に、当時の菅義偉官房長官が出演したときのこと。集団的自衛権について国《くに》谷《や》裕子《ひろこ》キャスターが、鋭い質問で官房長官を問い詰めました。放送後、菅官房長官と官邸は強い不快感をあらわにしたといわれています。そしてこともあろうに、当時のＮＨＫの放送総局長が、国谷キャスターの降板を命じたのです。現場は猛反対しましたが聞き入れられず、続投が決まっていた国谷キャスターは、二〇一六年に降板することになりました。

『ニュースウオッチ9《ナイン》』という番組でも、二〇一五年に大越健介《おおこしけんすけ》キャスターが、二〇二一年には有馬嘉男《ありまよしお》キャスターが降板になっています。大越キャスターは、ニュースの間にはさむコメントが当時の安倍首相の気に障《さわ》ったようです。有馬キャスターは、菅首相に学術会議の任命拒否問題について繰り返し質《ただ》したことで怒りを買ったといわれています。その後、大越健介氏はＮＨＫを退職し、テレビ朝日の『報道ステーション』のメインキャスターに就任しています。

政権に対してゆがめられた報道でなければ、それは世の中の批判として受け止めるべきで、過去の政権もそうした報道に抗議することは滅多にありませんでした。ところが安倍政権、菅政権では、ことあるごとに「抗議」を続けました。

それに対してメディア側は、「おっしゃることはわかりました」と受け流せばいいのですが、政権におもねる人物が人事権を握っていたりすると、「圧力」ではないのにこういう事態になってしまいます。

政権に批判的な報道をしたからといって逮捕されるわけでもなく、自由にものが言えるという点では、報道の自由度が六七位というのは低過ぎると思います。しかし、報道を裏付けるデータが政府から示されなかったり、メディアの忖度が働いたのではと思わせるような出来事があったりするのは、情けないことであり、残念なことです。

Q6 世襲議員が多いのは日本だけ？

国会議員の半数近くが世襲議員で、安倍政権下では閣僚の六割が世襲議員でした。なぜこのような現象が起こるのでしょうか。海外ではどうなっているのでしょうか。

異常な世襲率

世襲議員が五割近くもいるというのは、先進国では稀《まれ》な数字で、大半の国では一割以下になっています。

日本の場合、政治家あるいは国会議員という仕事が家業になっていることが大きな特徴です。お寺やお医者さんなどと似ています。お寺の長男に生まれれば、お寺を継《つ》ぐ。政治家の家に生まれれば、政治家を継ぐ。これが珍しくなくなったということですね。さらに、その状況に国民がすっかり慣れてしまっている。

たいていの国会議員には後援会というものがあります。とくに保守系の議員の場合、その議員を応援する地元の有力者がいます。応援する候補者が国会議員になると、有力者たちはその議員を通して国に陳情をします。橋を直してほしいとか、予算をつけてほしいとか、特別な税制を考えてほしいとか。こういった陳情がしやすくなればなるほど、地元への利益を誘導することが可能になり、利権構造が生まれるのです。

その議員が引退したり亡くなったりすると、そもそも議員個人を応援していたはずですから後援会も解散するかと思えば、そうではありません。支援者にとっては、もはや利権構造を守ることの方が大事になります。そこで、議員の子供であったり同姓の親族であったりを担《かつ》ぎ出すのです。現職の政治家が亡くなると、政治に関わったことのない奥さんがワンポイントリリーフとして立候補し、同情票を集める場合もあります。次の政治家の候補者としての資質などは二の次で、名前と後援会組織で利権構造を壊さないようにしようとし、その結果、世襲議員が日本に多くいることになったのです。

名前でいえば、菅政権での加藤勝信《かとうかつのぶ》官房長官も、名前を大事にして国会議員になった一人といえます。彼の旧姓は室崎《むろさき》。東大卒業後、当時の大蔵省に入省します。やがて農林水産大臣だった岡山選出の加藤六月《かとうむつき》の秘書官を務めます。そこで加藤に認められ、加藤の長女と結婚するはずだったのですが、長女はアメリカに留学。すると次女と結婚して婿入りし、加藤姓になったのです。岡山で加藤六月といえば、羽田《はた》内閣、中曽根内閣などで大臣を歴任した大物《おおもの》でした。名前がものを言います。加藤勝信自身は、二度の国政選挙で落選したものの、紆余《うよ》曲《きょく》折《せつ》の末、岡山の地盤を引き継いでいます。

アメリカは？

ケネディ一族やブッシュ大統領親子で、世襲議員が多いのかも、と思われる人もいるようですが、実際には一割ほどです。なぜそうなっているかというと、選挙のシステムが日本と違っているからです。

日本の選挙では、よほどの政局の動きや個人の失敗がない限り、現職が有利になります。三選、四選を果たしている現職議員を新人が倒すことは容易ではありません。ところがアメリカでは、選挙の前に必ず予備選挙が行われます。つまり、現職も新人も関係なく、共和党でも民主党でも、それぞれで予備選挙を戦うのです。ここで党の支持者に認められなければ、政党の代表として本選挙に出馬することができません。

アメリカの有権者は、選挙では人物の評価より政党を優先させます。いざ選挙になれば、政党支持者が多い候補者が当選しやすくなります。だからこそ、予備選が大事になってくるのです。予備選で政策を訴え、自分をアピールします。有権者も、予備選での候補者の活動を重視します。

二〇一八年、下院議員選挙の民主党の予備選挙で、アレクサンドリア・オカシオ＝コルテスという二八歳の女性がニューヨーク州で立候補しました。大学卒業後、ウエイトレスやバーテンダーの仕事をしながら左派の活動を続けていました。ニューヨーク州第一四選挙区においては、下院民主党議員総会議長を務めるジョー・クローリーという大物現職がいて、それまで、予備選挙で彼に挑む候補者はいませんでした。オカシオ＝コルテスとは、知名度も資金面においても雲泥《うんでい》の差です。

議員の座は安泰と思ったのか、ジョー・クローリーはワシントンで仕事を続け、予備選挙中もニューヨークには戻りませんでした。一方のオカシオ＝コルテスは、市民団体などに地道に支持の輪を広げ、ついに予備選で勝利します。民主党支持者が圧倒的に多いニューヨークですから、オカシオ＝コルテスはそのまま下院議員に当選したのでした。

つまりアメリカにおいては、二世や三世の看板はほとんど役に立ちません。

結局は有権者

世襲議員でも政治家としての研鑽《けんさん》を積み、職務を果たそうとする議員もいます。一方で、勉強もせず、地元の後援会頼みの議員も多くいます。世襲議員という名前より、本人を評価することが重要で、そのための材料を求める必要があります。

利権構造を守りたい支持者は、それこそ雨が降ろうが槍《やり》が降ろうが投票所に行って投票をします。そうなれば、投票率が低ければ低いほど、彼らが応援する候補者が有利になります。総理大臣まで務めた森喜朗《もりよしろう》は、かつて「選挙に関心がないといって寝てしまってくれれば、それでいいんですけれど……」という発言で批判を浴びましたが、これが世襲議員を多く有する政権政党の本音です。これでいいのでしょうか。

Q7 共産党アレルギーは日本だけ？

「共産党」という名称にどうしても抵抗を感じます。周囲もそういう人が多いようです。日本共産党の政策には賛同できても、名前に反応して支持をためらうという声も聞きます。なぜそうなったのでしょうか。世界では、どんな反応なのでしょうか。

理想から離れた共産主義

「共産党」という名前にアレルギーがあるのは、日本に限ったことではありません。世界の多くの人たちが感じていることだと言えます。

大きな原因は、中国共産党の存在とソ連の崩壊にあると言えるでしょう。ご存じのとおり、中国共産党は毛沢東《もうたくとう》に始まり、独裁政党として中国を支配しています。資本主義化が進んでいますが、憲法においても「国家は中国共産党の指導を仰ぐ」とされているほどで、その独裁色のイメージがいいはずはありませんよね。

そして、ソ連。ソビエト連邦共産党の主導によって一九二二年に誕生した社会主義国家は、その実態が長くベールに包まれ、西側からは「不可解な国」とされて東西冷戦を生みました。

そもそもは、マルクスとエンゲルスの『共産党宣言』などに影響を受けたレーニンが、腐敗したロシア帝国を革命で倒して生まれた国でした。資本家の搾取や貧富の格差を生じさせる資本主義を否定し、平等な労働によって平等な社会を構成することが「共産」の理想でした。「共産」とは、「財産を共有しよう」という考え方の言葉です。しかしスターリンの登場で一党独裁の恐怖政治が行われ、西側には共産党に対するアレルギーが広がります。それでもソ連がアメリカに対抗できるほどの強い力を持っていたため、資本主義の国々でも共産党は一定の勢力を保っていました。

一九九一年、ソ連が崩壊し、「結局、共産主義はうまくいかない」となった途端、各国の共産党はその名前を捨てました。「共産党」では、選挙で議席を獲得できないと判断したのですね。資本主義国で最大の組織だったイタリア共産党も、左翼民主党となりました。中国の台頭やソ連の崩壊にもかかわらず「共産党」の名前を変えずにいるのは、資本主義の先進国と言われる中では、日本とフランスだけです。

その後、共産党を名乗る政党は各国に復活していますが、過去の「共産党」ほどの勢力がある党は、ほとんど見当たりません。

共産党アレルギーに対抗するには

日本共産党は、国内では最古の歴史を誇る政党で、その名前も結党以来変えていません。企業からの献金や国からの政党交付金（政党助成金）を受け取らず、クリーンなイメージもありますが、党員数を減らし続けているのは、その名前にも要因があると思われます。党員や支持者の中でも「名前を変えたほうがいいのでは」という議論があったようですが、それでは歴史の否定になるという意見が勝《まさ》り、改名にはいたっていないようです。

国会の開会に際しての天皇の挨拶を、過去の共産党はボイコットしていたのですが、現在はそんな強硬な姿勢はありませんし、立憲民主党などと選挙の候補者の調整なども行っています。共産党アレルギーの解消を図りながら、現実路線を歩んでいるというところでしょうか。

たしかに、「方針や政策には賛同するのだが、名前がちょっと……」という声は聞きます。共産主義を理想とするのが社会主義なら、「共産」も「社会」も同じ路線にあるはず。アレルギーの少ない「社会党」という名前が現在の日本では空席なのですが、どうでしょうかね。

Q 8 政治の話はダサい？

日本では学校などで政治の話をするのはタブーとなっています。芸能人が政治的発言をするとネット上で炎上したりすることも。世界ではどうなのでしょうか。

政治の話ができない教育現場

二〇一五年に公職選挙法が改正され、一八歳からの選挙権が認められるようになりました。二〇一九年の七月に行われた参議院議員通常選挙では、全体の投票率が四八・八〇％であるのに対して、一〇代は三二・二八％、二〇代は三〇・九六％、三〇代は三八・七八％でした。この選挙に限らず、若い人たちの投票率の低さは顕著《けんちょ》です。

日本人には、意見の違いを言い合うことによって関係が損《そこ》なわれるのを避けたいという意識があります。協調性を重視しているとも言えますが、つまりは、議論に慣れていないのですね。議論と言い争いは明らかに違うことですが、「商売では、政治と宗教と野球の話はするな」と言われているくらい、無《ぶ》難《なん》な道を選ぶことが奨励されています。場所と関係をわきまえず、そもそも意見の分かれる話題を持ち出すことは無粋だということなのでしょう。

その背景にあるのは、学校教育での政治の排除です。

以前は、たとえば私が高校生の頃は、学内でも政治の話は活発に行われていました。私が入学したのは都立高校でしたが、最初の朝礼で挨拶に上がった生徒会長は、「前の日、デモで機動隊とぶつかって骨折した」と腕を吊っていましたから。これには度肝を抜かれましたね。高校とは、こういうところなのかと。

当時は六〇年安保闘争の後のころ。東京都教育委員会により、高校生の政治活動を抑えるために「三校以上の生徒たちが集まってはいけない」というルールもできました。それでも生徒たちは議論を戦わせたり、デモに参加したりしていました。

それが、高校生の政治活動は日教組が煽動しているのだろうと自民党が言い出し、自民党や保守勢力がこれを叩くわけです。「高校生の分際で政治に口を出すな」とか、「もっと受験勉強に専念しろ」とか言われ、教師も政治の話ができなくなっていきました。

メディアも以前は高校生を対象に模擬投票などを行っていたのですが、そこで当時の社会党の票が多かったりすると「偏向教育が行われている」とされ、教育環境はますます政治から離れていきました。

最近は学校でもっとディベートをしなさいということになってきていますが、教育の場に政治を持ちこんだと言われないために、驚くべきことに「秀吉対信長」のディベートをする学校もあるそうです。アメリカならば、共和党の政策がいいのか、それとも民主党の政策がいいのかというディベートが当たり前。日本でも自民党なのか立憲民主党なのかで行えば、より具体的で政治が身近になるはずなのですが。

本来ならば、社会や政治についてきちんと学び、意見の違いを議論し合いながら多様性を身につけるはずの教育現場です。しかし教師はリスクを恐れ、生徒は政治を身近に感じられないまま選挙権を手にしていることが、若者の投票率に表れています。

学校に候補者がやってくるアメリカ

日本の高校や大学で政治に関する話題がない状況は、海外からの留学生や帰国子女からも驚きの声を聞きます。海外では高校生にもなれば、政治に関心を持つのは当たり前で、そういうところが欠落している日本の高校生は、ずっと幼く見えるそうです。

オバマ政権二期目の大統領選挙の取材で、アイオワ州の公立高校に行ったときのことです。民主党の候補はオバマで決まっていましたから、焦点は共和党の候補が誰になるかということでした。するとこの高校に何人もの共和党の候補者がやってきて、演説をするんですね。それぞれの候補者が高校生を相手に、政策や方針を話します。まさに政治教育そのものです。ある候補者が「一一月の選挙のときに有権者になっている人は？」とたずねると、三分の一ほどの生徒が手を挙げました。彼らは実際に投票に行きますから、候補者も必死です。

担当の先生に、つい日本人的な発想で「共和党だけ候補者を呼んで、偏《かたよ》ったことになりませんか」と聞いてしまいました。すると「民主党はオバマで決まっていますから、候補者選びができるのは共和党しかありませんよね」というクールな返事。さらには候補者の演説をつまらなそうに聞いている生徒がいたので「どうしたの？」と尋ねると「僕は民主党を支持しているので、こんなのを聞いてもしょうがない」と答えるではありませんか。いかに日本の高校と違うかを思い知らされました。

アメリカの場合、選挙で投票するためには、有権者登録をしなければいけません。自《みずか》ら声を上げないと投票できません。日本は黙っていても選挙の案内がきますから、これが大きな意識の差を生んでいると思われます。

有権者登録をするときに、共和党支持か民主党支持か、それともインディペンデント（どちらでもない）かをチェックする欄があります。そしてこの有権者登録名簿は公表されていますから、それぞれの陣営はこれをもとに戸別訪問や電話で投票の念押しをするわけです。

日本では大統領選挙の熱狂ぶりだけが報道されるので、投票率も高いと思われがちですが、実際には六〇％台です。ただし、その全員が有権者登録をしている事実を見れば、やはり政治への期待や関心は、日本とは大きく違うと言えます。

二〇一六年の大統領選挙では、それまで政治に関心がなく有権者登録をほとんどしていなかった白人労働者が、ドナルド・トランプの差別的発言に「面白そうだ」と同調して投票に行った結果、トランプが大統領になりました。これも民主主義の結果ですが。

議論を避ければ、同じ意見の人が集まり、力を持ちやすくなります。そうなれば、多様化を認めにくい状況になります。力を持った多様性を認めない空気は、政治に表れます。その結果、弱者はさらに弱い立場に置かれることになります。あなたが、何らかのかたちで弱者になる可能性があることを忘れないでください。

第2章
制度

Q9 日本の年金は維持できる?

少子高齢化にともない、年金制度が危ぶまれているという話を耳にします。この先、労働者より高齢者が増加していくのは事実で、不安になります。将来、どうなっていくのでしょうか。

年金の崩壊は国の破《は》綻《たん》

年金は国が保証する保険です。保険料を払っていれば年金が支給されることを国が国民に約束しています。つまり、若い人たちが「どうせ俺たちは年金をもらえないんでしょう」と言っているのは、「どうせ日本は破綻するんでしょう」と言っているのと同じことを意味するのです。年金が受け取れなくなるのは、日本が破綻するときです。そうならない限り、国はこの制度を必死で守るでしょう。

ただし、現在のように高齢化が進めば、高齢者は支払った保険料よりも多い額の年金を受け取ることになり、単純に考えれば、財源はひっ迫《ぱく》します。そういうわかりやすい現状に加えて、過去にあった公的年金の流用問題などが不信感をよび、国民の誤解と不安を招いているといえます。

あきれる年金流用

日本の年金制度の元になったのは、明治時代に始まった軍人恩給です。国のために戦った軍人が年をとっても、生活に困らないようにそれなりの保障をしましょう、というのが軍人恩給で、この考えが年金制度につながっていきました。

日本の公的年金制度は、二階建て構造といわれています（私的年金を加えて三階建てと言うこともあります）。一階部分が、二〇歳になったら全員が加入する国民年金（基礎年金）で、会社員などが加入する厚生年金が二階部分になっています。この二階部分、以前は厚生年金と共済年金に分かれていました。共済年金は公務員が加入するものでしたが、保険料が厚生年金に比べて安いなど優遇されていて、結果的に維持が困難になり、二〇一五年に厚生年金に統合されました。つまり一般の会社員の負担で公務員を救済したのです。この仕組みを考えるのは厚生労働省の公務員ですから、要は自分たちの将来を守ったのです。

かつての年金は「積み立て方式」と呼ばれるもので、支払った保険料を基本は老後に受け取るというものでした。この積み上がった部分に厚生省（当時）が手を付けたのが、公的年金流用問題でした。

厚生年金会館やグリーンピア○○というのを聞いたことがある人もいると思います。旧厚生省は、年金福祉還元事業としてこれらの施設を厚生年金を使ってつくったのですが、経営はうまくいかず多額の赤字を生みます。さらには関連する公益法人が、厚生省や社会保険庁の職員の天下《あまくだ》り先になっていたこともあり、問題になりました。ここで使われた年金が、共済年金ではなく厚生年金だったことに注意してください。自分たちが加入する共済年金はしっかり守っておいて、厚生年金を無駄遣いしながら天下り先を増やす。年金制度の信用が落ちてもしかたない行為でした。

加入しなくても税金は取られている

年金福祉還元事業などに回せるほど財源があった公的年金ですが、田中角栄《たなかかくえい》首相の時代にインフレが襲いかかります。インフレとは物価が上昇するということ。そうなると、積み立てられていた年金の価値が下がることになります。保険料を支払っていた時代には、積み立てられた額で老後の暮らしが支えられるはずでしたが、物価が上昇してしまうと、受け取るときにはまるで足りないことになりかねません。そこで、現在の賦課《ふか》方式がとられるようになったのです。

賦課方式とは、現在集められている保険料を、そのまま現在の受給者に渡すというものです。これにより物価変動などによるリスクを軽減させています。

この賦課方式を厚生労働省は「世代間の仕送り」という言い方をしています。「今の社会をつくってくれた高齢者の方に感謝の念を込めて、老後を安心して暮らしていただけるよう支えてあげましょう。その義務を果たせば、あなた方が年をとったときに、つぎの世代の人が支えてくれますよ」という構造になっているのです。

年金制度は、どうしても老後の老齢年金ばかりが注目されがちですが、それだけではありません。年齢にかかわらず、事故や病気で障害を負ってしまうと、障害基礎年金が支給されます。また年金受給者が亡くなっても、その配偶者が一部を受給できる遺族基礎年金もあります。想定外のリスクをカバーする仕組みともいえます。

さらにいうと、国民年金（基礎年金）の半分は徴収される保険料でまかなわれていますが、残りの半分は税金が使われています。ということは、年金に加入せず保険料を支払っていない人は、障害基礎年金や老齢年金を受け取れないばかりか、納めた税金の一部がそちらに回されていて、まさに取られ損ということになります。
「どうせ将来は年金なんかもらえないんだから、加入しなくてもいいや」という人たちは、年金を受け取れないばかりでなく、知らず知らずのうちに自分の懐《ふところ》から払った税金が、ほかの人の年金に使われることになるのです。

以前は六〇歳から受給できる老齢年金でしたが、現在は、基本は六五歳に引き上げられています。

「六〇代でも七〇代でも、元気で働ける人はどうぞ働いてください」と、国は言っています。たしかに、定年を迎えてもまだまだ働ける人、働きたい人は大勢います。でもその裏には、できるだけ支給額を減らしたいという国の思惑があります。受給資格があってもその人に収入があれば、年金を支払わずにすみますから。あるいは、受給開始を遅らせれば支給額を増額しますよ、といって、これも全体の支給額を抑えようとしています。

高齢者も働いて保険料を納め、その人の受け取る期間を短くすれば、全体の支給額を減らすことができます。単純なことですよね。こうして日本の年金は、高齢化社会を乗り切ろうとしています。ただ、平均寿命が延びていることを考えれば、受給開始が遅くなっても、受給期間は変わらなくなっているとも言えます。受給開始が六〇歳から六五歳になっても、平均寿命が

図2　日本の年金構造

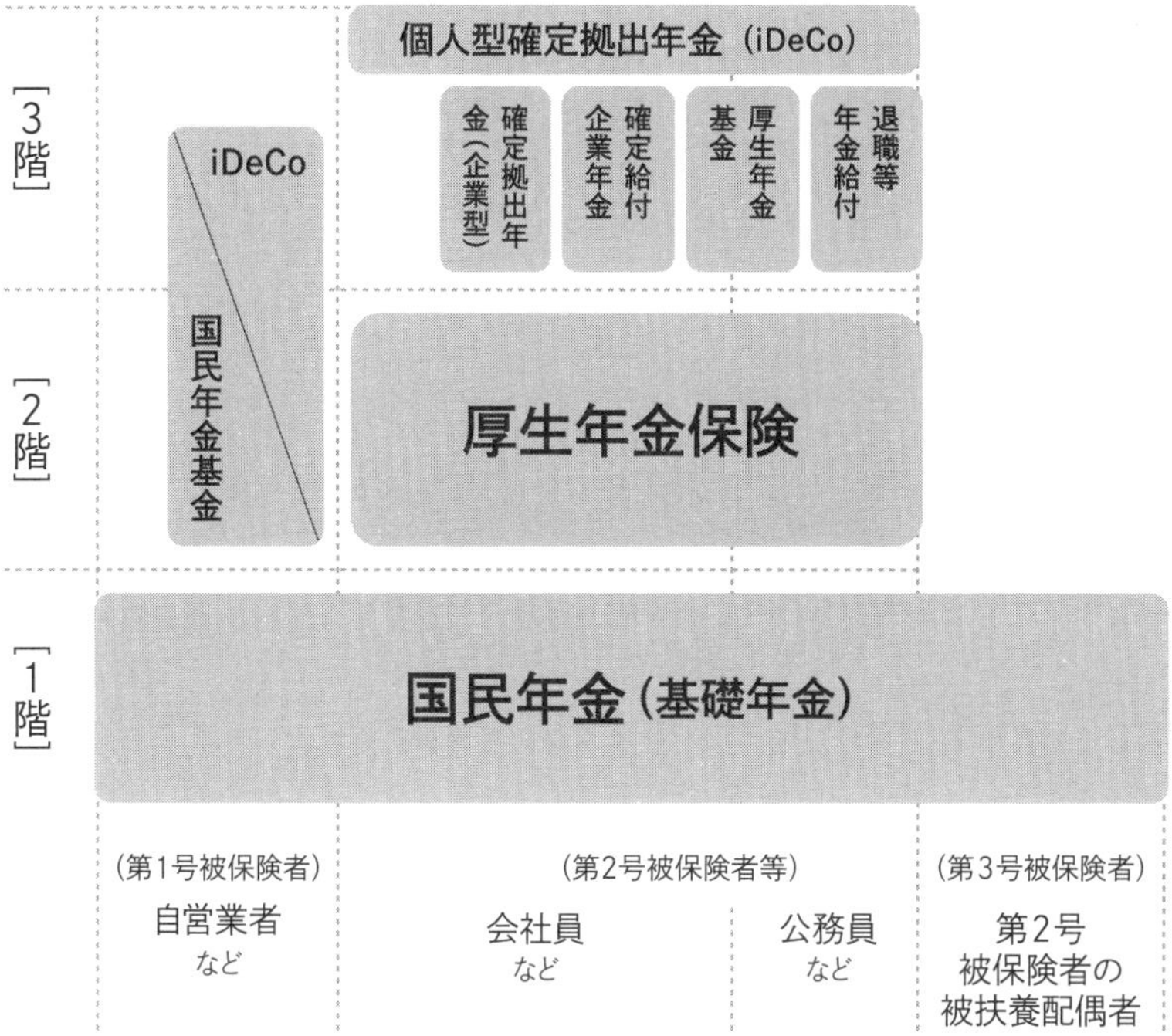

出典・参照：令和3年度「厚生労働白書」を参考に作成

八〇歳から八五歳に延びていますから、受け取る期間は同じという計算にもなります。

多く支払えば多く返ってくる

海外でも日本と同じように、二階建て方式を採用しているところが多く、基本的には大きな違いはありません。ただ、年金をどのように位置づけているかによって、保険料や受給金額に差があるようです。

たとえば、世界ランキングで一位とされているオランダを見てみますと、受給額は月額で三〇万円近くになっていますが、支払う保険料は一〇万円と、日本の二・六倍以上です。ここには「将来のために保険料を多く支払い、安定した老後を目指す」という意識がはっきりと表れています。これは、税金と福祉の関係にも言えることでしょう。福祉国家と呼ばれる国では、のきなみ税金が高いのは当たり前。高度な福祉や高額な年金を求めるなら、それだけ国民の負担は増えます。

「高い保険料を国に預けるから、安定した老後を保障してほしい」という国もあれば、「国は信用ならないから多くは預けられない。よって、老後も各自で何とかする」という国もあります。日本は、良くも悪くもその中間といったところでしょうか。

Q10 マイナンバー制度の目的は？

マイナンバー制度ですが、便利な点ばかりが強調されているようで、いまいち信用できません。さらにはデータの流出など、セキュリティーも不安です。国が推し進める本当の目的は、どこにあるのでしょうか。

マイナンバー制度とは？

総務省によりますと、マイナンバー制度について以下のような説明がなされています。

1 国民の利便性の向上

社会保障や税関系のさまざまな証明書類の添付が削減されるなど、面倒な手続きが簡単になります。また本人や家族が受けられるサービスの情報のお知らせを受け取ることも可能になる予定です。

2 行政の効率化

マイナンバーにより、国や地方公共団体の間で情報連携が始まると、これまで相当な時間がかかっていた情報の照合、転記等に要する時間・労力が大幅に削減され、手続きが正確でスムーズになります。

3 公平・公正な社会の実現

国民の所得状況が把握しやすくなり、税や社会保障の負担を不当に免れることや不正受給の防止、さらに本当に困っている方へのきめ細かな支援が可能になります。

（一部省略）

脱税を防ぐ

これを見ますと、現在の役所の手続きがいかに面倒で、不正確で、時間がかかるかを自ら認めているようでもありますが、そういう突っ込みはやめておきましょう。

マイナンバー制度の最大の目的は、税逃れを封じ込めようということ。つまり、脱税をさせないシステムをつくりたいのです。

二〇一九年度の「告発分の脱税総額」は約九三億円で、過去最少の金額でした。ただ、これは国税庁が摘発した脱税の総額で、「非違《ひい》」と呼ばれる申告漏れなどを含めると、追徴税額（本税＋加算税）は一〇〇〇億円を超えています。しかも、実地調査の割合は、全申告数の一割程度。ということは、仮にすべての申告を調査すれば、一兆円の追徴額になる可能性があります。

今後は、所得税、相続税の申告にマイナンバーの記載が求められます。さらに、証券会社、生命保険会社、銀行でも新たな手続きにはマイナンバーが必要になります。税務署は、マイナンバーをたどれば、個人や会社の収入や資産などが把握できるようになり、脱税がしにくくなるはずです。

こうした動きは過去にもありました。一九七九年には政府の税制調査会が、納税者番号制度の導入を提案しています。しかし社会的反発が強く、その代わりとして一九八〇年に「グリーンカード制度」の導入が可決されました。

グリーンカードは「少額貯蓄等利用者カード」の別名。当時は「マル優」と呼ばれる制度があり、三〇〇万円までの預貯金は非課税になっていました。高額預金者はこれを利用して資産を三〇〇万円以下に分散し、仮名で口座をつくって税金逃れをする人がいました。これを防ぐのがグリーンカードの目的でした。

ところが、当時の民社党の春日一幸《かすがいっこう》議員は「グリーンカードはプライバシーの侵害にあたる」として国会で反対を表明します。「プライバシーの侵害」とは、要は税逃れできなくなるという意味ですね。これは、春日議員が支持者からの「所得や口座が把握されたら、税逃れができなくなってしまう」という訴えに応えたものでした。そうなると、自民党の支持者も同様の訴えで議員を突き上げます。結局は金融業界や郵政省までもが反対し、実施が一九八三年に延長された上、一九八五年に廃案になってしまいました。このとき、国税庁は埼玉県に巨大なコンピューターセンターをつくってグリーンカード制度に備えていたのですが、準備は無駄に終わりました。国税庁としては、念願でありグリーンカードのリベンジでもあるマイナンバー制度なのです。

資産課税に踏み切るか？

現在の日本では、資産を持つ人とそうでない人の格差が、ますます大きくなっています。税収の中心である所得税は、あくまでもときの所得にかかるもので、所得税の累進課税だけでは、格差は是正できません。

そこで目を付けたのが資産です。莫大な資産を持つ人の資産に税金をかければ、税収は増え、格差も縮まっていきます。マイナンバーであらゆる資産を把握したあとには、資産課税に踏み切る可能性もあるということです。

ですが、資産を持っている人たちも、所得税を払いながら資産を得たわけですから、さらに資産まで課税対象にされては二重課税になる、と反対します。これも、もっともな意見です。

デジタル化が進むメリット

一方で、総務省が説明しているように、さまざまな役所の手続きが簡略化され、役所に出向かなくても、コンビニやパソコンで申告ができるような便利なことも多くなるでしょう。

二〇二〇年、新型コロナ対策で、国民に一〇万円が支給されましたが、マイナンバーによるデジタルの仕組みができていれば、申告の不備や支給遅れも少なかったはずです。また、さまざまな給付金の手続きを民間に委託する必要もなかったでしょう。

さらに、緊急事態宣言下では、飲食店への営業時間短縮の要請がありました。政府や自治体の要請に応じれば、一律一日六万円の協力金が支払われましたが、なんとも大雑把《おおざっぱ》で不公平なやり方でした。たとえば、一日の売り上げが二〇万円あった店では、経営はひっ迫するばかりで従業員を解雇せざるを得ない状態にもなりました。しかし元々の売り上げが四万円の店は、協力金で預金ができるところもあったようです。

これが、各事業所の売り上げがデータ化されて国が管理できていれば、たとえば「去年の売り上げの四割分を支給する」といった形で、迅速な対応ができたはずです。

海外のマイナンバー制度

ドイツでは、番号制度の導入は連邦基本法で禁止されているという見解から、マイナンバーのようなものはありませんが、中立な立場の「データ保護監察官」を置いて、納税者番号制度を導入しています。これにより、新型コロナの給付金もスムーズに支給されたようです。

イギリスは二〇〇六年に国民ＩＤカードの導入を決めましたが、保守党と自由民主党による新連立政権は人権侵害であるとこれに反対し、廃案になっています。

社会保障番号（ＳＳＮ）の広範囲な利用が知られているアメリカでは、あらゆるケースでＳＳＮの提示が求められます。ＳＳＮが民間にまで利用されていて利点も多くありますが、他人の番号を使ったり、番号が売買されたりする犯罪も発生し、社会問題になっています。

つまり、当たり前のことですが、国の事情はそれぞれで、その事情に合った制度を導入したり、また導入しなかったりしています。

マイナンバーにさまざまな情報が紐《ひも》づけされて有効に利用されれば、公正で公平な社会になり得るはずです。しかし、そこには、政府に対する信用が不可欠です。では、日本はどうでしょうか。「何に使われるかわからない」「セキュリティーは大丈夫なのか」、そういった声が国民の本音で、協力的でないのが現状でしょう。

Q11 税金が給与から天引きされるのは、日本だけ？

サラリーマンや公務員は税金が給与から天引きされていますが、それが日本だけというのは本当ですか？

ドイツにならった天引き

そもそもこのシステムは、日中戦争只中の一九四〇年に始められたもので、「一九四〇年体制」とも呼ばれています。

一九三七年に始まった日中戦争はしだいに激しさを増し、それとともに戦費はかさむ一方で、日本の財政はひっ迫した状態になっていました。それまでは、それなりの収入がある人は確定申告をして税金を納めていたのですが、それではとても追いつかない状態になっていました。

そこで何とか税金を効率よく徴収する仕組みがないものかと大蔵省が調べたところ、ドイツに「税金を給与から天引きする」システムがあることがわかり、一九四〇年に導入することになりました。これが給与の源泉《げんせん》徴収の始まりです。

これにより所得税の税収は大幅に増えます。さらには、給与からの天引きであれば、税の徴収を企業がするということで、税務署の仕事が増えるわけでもありませんでした。つまりそれぞれの企業の総務課に、徴収の仕事を下請けに出しているようなものですから、税務署は職員を増やさずに確実な税徴収ができるようになったのです。国税庁にとって都合のいいこの制度が、戦後も残りました。

ほとんどの国は確定申告をしている

海外でも源泉徴収を採用している国はありますが、ほとんどの国で個人が確定申告をしています。

例えばアメリカでは、一定の所得があると、全員確定申告をしなければなりません。これをタックス・リターンと言います。会社員の場合は源泉徴収されていることもありますが、基本的には多めに引かれているため、確定申告をすると納め過ぎた税金が返ってきます。確定申告用のソフトがあり、その指示通りに収入や経費を入力すれば、簡単に申告ができるようになっています。

その結果どうなるかというと、毎年確定申告をするたびに、自分はいくら税金を払っているのかがわかります。払った金額がわかっていれば、当然ですが、その使い道にうるさくなりますよね。税に対する意識が高くなります。

日本は、天引きであるがゆえに手取りばかりに意識が向き、いくら税金を払っているのか知らない人が多いのが現状です。結果的にその使い道にも鈍感になっています。意識の差がはっきりしています。

消費税が導入され、現在では一〇%になっています。消費税は買い物をする度に毎回税金を払うわけですから、これにより日本人は、多少は税金に敏感になってきてはいます。しかしながら、欧米と比較すれば、まだまだ意識が高いとはいえません。

減税と景気対策

アメリカでは「減税」が景気対策になり、この効果を狙って減税を実施することがあります。なぜそうなるのか。アメリカはみんな確定申告をしていますから、減税が行われると、内国歳入庁（国税庁）から減税分の小切手が送られてきます。つまりそれを預金に回すには、銀行に行くひと手間がかかるわけです。そうなると、手元にある小切手で買い物をしようか、ということになり、消費につながります。

日本は減税分まで天引きのところで実施されていて、しかも銀行振り込みです。手取りがちょっと増えたことに気づくくらいで、それをわざわざ引き出して買い物をしようとはなかなかなりません。つまり、消費につながりにくく、景気対策としては弱いのです。

税金とは別の話ですが、二〇二〇年に世界的に新型コロナウイルスが蔓延《まんえん》し、各国で給付金が支給されました。アメリカでも給付金がありましたが、支給の方法は小切手でした。その小切手に時の大統領のトランプが「自分の名前を入れろ」と言ったばかりに支給が遅れたそうです。いずれにせよ手元に小切手が届けば、さあ何に使おうか、となります。ところが日本は銀行振り込み。ある調査によりますと、支給された一〇万円のうち、実際に使われたのは一万円ほどだそうです。将来に備えるためもあるでしょうが、結果的に景気対策にはならなかったということです。

アメリカ以外の大半の国でも、所得のある人は確定申告をしています。日本でも所得者全員が確定申告をすれば、各自が納めた税金の額を把握するようになり、税に対する意識も高くなっていくでしょう。企業の総務の仕事も減っていくはずです。

しかしそれをするためには、税務署の職員を増やさなければならなくなり、現状を変えることは簡単ではなさそうです。それに、国民が税の使い道にうるさくない現状は、政府にとっても悪いことではないといった計算もはたらいているでしょう。

Q12 夫婦別姓はなぜ認められない？

海外では当たり前である夫婦別姓が、日本では認められていません。それはなぜでしょうか。

法案提出にさえならない

二〇一五年、最高裁判所は、民法の夫婦同姓を定めた規定について、「合憲」であるとの判断を示しています。憲法には違反していないということです。ただし、「国会で論ぜられ、判断されるべき事柄」としてその是非《ぜひ》を国会にあずける形になっています。つまり、いまの規定は憲法違反ではないが、夫婦別姓を実現したければ国会で、そういう法律を作りなさい、と宣言したわけです。

選択的夫婦別姓については、法務省の法制審議会によって幾度となく答申されていますが、いまだ与党からの法案の提出に至っていません。その最大の理由は自民党の保守派議員の反対によるもので、彼らは「家族の一体感が損なわれる」「子の姓の安定性がなくなる」と言っています。要は、家制度の崩壊につながるから、ということなのですが、夫婦が別姓を選択したからといって家族がバラバラになったりするでしょうか。

安倍元首相の「秘蔵っ子」と呼ばれ、防衛大臣を務めた稲田朋美《いなだともみ》議員は、以前は夫婦別姓に反対していました。ところが賛成を表明した途端、保守議員の支持団体である「日本会議《にほんかいぎ》」は距離を置くようになり、稲田議員は神道《しんとう》政治連盟の国会議員団体の事務局長も更迭《こうてつ》されました。

二〇二一年には、自民党の国会議員有志五〇人が、選択的夫婦別姓制度に賛同する地方議員に対し、慎重な検討を求める文書を送っていたことが発覚しました。この有志には高市早苗《たかいちさなえ》、片山《かたやま》さつき、丸川珠代《まるかわたまよ》といった女性の閣僚経験者も名を連ねています。つまり自民党の保守派として後ろ盾《だて》を失わないためにも、「夫婦別姓」に反対しようという意図《いと》が見えます。

こういった保守政治をとりまく古い意識と環境のために、なかなか前進できないでいるのが現状です。

海外では認められているか？

海外ではほとんどの国が夫婦別姓を認め、結婚時に姓を選択できるようになっています。欧米にはファーストネーム（名）とラストネーム（姓）の間にミドルネームをつける習慣があります。ミドルネームは洗礼名や祖先の名前が多いのですが、女性の場合旧姓をミドルネームとして残すこともできます。現在は別姓が認められているため、夫の姓か自分の姓か、あるいはミドルネームとして両方を名乗ることが可能になっています。

アジアでは、中国や韓国が夫婦別姓になっています。しかしこれは、女性の立場を考えて導入された制度ではありません。どちらも歴史的に「男の家」制度が顕著だった国で、女性は結婚しても「男の家」の戸籍に入れてもらえなかったんですね。女性が家系に連なることを拒まれた結果夫婦別姓となり、そのまま現在の制度になっています。日本に先んじているようにも見えますが、私に言わせれば「一周遅れのトップランナー」です。ただそれでも、この問題において、日本より前にいることは間違いないでしょう。

「入籍」？

よくタレントが「入籍会見」などと結婚の報告をしますが、あれは間違いです。入籍というのは、基本は夫の戸籍に入ること。戦前の言い方です。現在は結婚と同時に夫婦で新しい籍をつくるわけですから、入籍ではなく、「新しい戸籍をつくりました」と言うべきところです。そのとき、夫でも妻でも、本来はどちらの姓を名乗ってもいい法律になっています。でも大半が夫の姓を名乗るので、結果的に女性が不便を強《し》いられる事態になっています。

過去の世論調査においても「家」が重視された時代は夫婦別姓に反対する意見のほうが多かったのですが、最近では賛成が圧倒的に多く、反対派は二四％ほどにとどまっています。「男女共同参画基本計画」なるものを政府が示している以上、国民の意見を聞き、選択的夫婦別姓の議論を前進させるべきではないでしょうか。

Q13 同性婚はなぜ認められない？

今世紀に入り、オランダ、ベルギー、スペイン、カナダ、南アフリカ、ノルウェー、スウェーデンなど、同性婚を認める国が増えています。アジアでも、台湾が二〇一九年に認めています。日本はどのような立場をとっているのでしょうか。

「両性」とは？

これも日本では夫婦別姓と同様に、「家制度」が尾を引いているといえるでしょう。結婚は親が決めるものであり、家系を絶やさないために男女がするもの。そしてここにはＬＧＢＴＱに対する大きな偏見と差別が存在していました。

戦後になり、憲法によって自由な結婚が保障されるようになりました。日本国憲法第二十四条は「婚姻は、両性の合意のみに基いて成立」とあります。従来の解釈では、「両性」とは男性と女性のことであるから、男女同士以外の結婚は認められないということになっています。

近年、世界的にLGBTQなどのセクシャルマイノリティの人権を守る運動が高まり、日本の憲法学者の間でも、議論されるようになっています。

憲法学者の木村草太《きむらそうた》氏は、この条文は親の同意などが求められた旧民法に対し、両当事者の意思を尊重する意味で「両性」という言葉を用いたのであって、同性婚を禁止したものではないと述べています。本人同士で結婚を決めていいんだよ、という趣旨でできた条文なんだから、「両性」は男同士でも女同士でもいい。そういう解釈は可能だということです。

一方で、「両性」はあくまでも男と女であるから、同性婚を認めるには、憲法を変えなくてはならない、という学者もいます。

同性婚とパートナーシップ

国として議論が進まないなか、パートナーシップ制度を導入する自治体が増えています。

同性パートナーシップ証明制度は、二〇一五年に東京都の渋谷区と世田谷区でスタートし、二〇二一年七月までに、全国で一一〇の自治体が採用しています。基本的には同性のパートナーが自治体に書類を提出し、それに対する証明書が与えられて、異性のカップルと同等の権利が認められるのです。

例えば、カップルのどちらかが入院して「家族以外は面会できません」となった場合、パートナーである公的な証明があれば、面会が許されたりします。それ以外にも、公営住宅の入居が認められたりなど、実質的な不利益を被《こうむ》らないようにするのが目的です。

しかし、このパートナーシップ制度には、法的拘束力はありません。法律婚ではありませんから、配偶者控除は適用されませんし、遺族年金も適用対象外です。さらには、共同での親権を持つこともできません。

パートナーシップ制度が全国に広がれば、同性婚を認めなくてもいいだろう、という声もありますが、この制度はあくまでも、性的マイノリティの人権を守るための第一歩であることを理解しなくてはなりません。

海外ではどうか？

二〇一五年、アメリカの連邦最高裁判所は、同性婚を認める判断を示しました。これにより、現在アメリカでは、同性婚が可能になっています。ところが、これを「とんでもないことだ」と思っている人も多くいます。その一人がトランプ前大統領で、その支持者の多くも同性婚に反対でした。

二〇二〇年九月、連邦最高裁判所のルース・ベイダー・ギンズバーグ判事が亡くなりました。性差別を許さないリベラルな判事として名をはせていましたが、大統領選挙の一か月半前にこの世を去りました。するとトランプ大統領はすかさず、同性婚や妊娠中絶に批判的なエイミー・コニー・バレット判事を最高裁判事に指名。共和党が多数の議会上院がこれを承認しました。これにより、今後同性婚をめぐる裁判が起きた場合、はたしてそれを認めるかどうかが注目されています。

二〇二〇年の大統領選挙で民主党の候補に名乗りをあげた、ピート・ブティジェッジ元サウスベンド市長は同性愛者であることを公表しています。バイデン政権では運輸長官に指名され、アメリカ史上初の同性愛者を公表している閣僚となっています。

またアイスランドでは、女性のヨハンナ・シグルザルドッティル元首相が、女性作家のパートナーと結婚しています。さらにルクセンブルクのグザヴィエ・ベッテル首相は、ベルギー人のパートナーと一緒になりたいために、同性婚を認める法改正に積極的に協力し、改正法ができると真っ先に結婚しました。ＥＵ加盟国の首脳として初めての同性婚者となりました。

世界では、とりわけ先進国では、同性婚を認めるようになってきています。

図3　同性婚を認めている海外の国(2020年)

	国名	法律施行日		国名	法律施行日
1	オランダ	2001年4月1日	16	英国	2014年3月29日※
2	ベルギー	2003年6月1日	17	ルクセンブルク	2015年1月1日
3	スペイン	2005年7月3日	18	メキシコ	2015年6月22日
4	カナダ	2005年7月20日	19	米国	2015年6月26日
5	南アフリカ	2006年11月30日	20	アイルランド	2015年11月16日
6	ノルウェー	2009年1月1日	21	コロンビア	2016年4月28日
7	スウェーデン	2009年5月1日	22	フィンランド	2017年3月1日
8	ポルトガル	2010年6月5日	23	マルタ	2017年9月1日
9	アイスランド	2010年6月27日	24	ドイツ	2017年10月1日
10	アルゼンチン	2010年7月22日	25	オーストラリア	2017年12月9日
11	デンマーク	2012年6月15日	26	オーストリア	2019年1月1日
12	ブラジル	2013年5月16日	27	台湾	2019年5月24日
13	フランス	2013年5月18日	28	エクアドル	2019年6月12日
14	ウルグアイ	2013年8月5日	29	コスタリカ	2020年5月26日
15	ニュージーランド	2013年8月19日	30	スイス	2022年7月1日

出典・参照：NPO法人　EMA日本　http://emajapan.org/promssm/worldを参考に作成

※ 英国は2014年3月にイングランドとウェールズ、2014年12月にスコットランド、2020年1月に北アイルランドでそれぞれ同性婚が認められた。

広がりつつある条例

二〇二一年三月、三重県で、性的マイノリティの人への差別や偏見をなくし、安心して暮らせる社会をつくるための条例が県議会で可決されました。ここでは、個人の性的指向を本人の了解を得ずに暴露する「アウティング」の禁止が、条例としてははじめて盛り込まれました。さらには「カミングアウト」の強要も禁止しています。

パートナーシップ制度もあわせ、性的マイノリティの人権を守る動きは日本の各地で広がりつつありますが、まだ地方自治体の条例の段階です。法律として認めるために国が動くようになるのは、夫婦別姓の問題と同様に、国会に保守的な議員が多くいる限り、もう少し時間がかかりそうですね。

Q14 介護保険はどう役立つ？

日本の介護保険は、どういうシステムで、どう役立つのですか。海外にも介護保険はあるのでしょうか。

「介護」という負担

かつて娘を持つ親には「うちの娘は、長男の嫁にはさせたくない」という意識がありました（現在も多少はあるかもしれませんが）。その大きな理由は「親の介護」でした。封建的な家制度のなかでは、長男の両親に介護が必要になれば、嫁が面倒をみることが当たり前になっていました。家を継ぐのが長男なら、家のことは嫁がするべき、と考えられていたのです。

たとえば、一人娘が長男と結婚し、夫の両親が、介護が必要になったとします。施設に入れるお金もなく、親たちもそれを望みません。すると介護の負担は妻一人にかかってきます。子供にはまだ手がかかり、夫は仕事ばかりで協力してくれません。そこに、実家の親まで要介護になり、妻は介護疲れで倒れてしまう。こういう現実が存在しました。

介護と一口に言っても、その内容はさまざまです。重度の認知症であれば目が離せないでしょうし、寝たきりになってしまえば、食事から着替え、入浴まで支援が必要で、その肉体的、精神的な負担ははかりしれません。その負担が個人にかかるのは、あまりに大変だということになり、介護保険制度が始まったのです。

掛け捨ての保険だが半分は税金でまかなわれている

介護保険は一九九七年一二月に成立した「介護保険法」にもとづき、二〇〇〇年にスタートしました。介護が必要となった高齢者とその家族を社会全体で支援していこうという仕組みです。

四〇歳になると、被保険者として介護保険に加入します。このときから介護保険料を支払うことになります。四〇歳から六四歳が第二号被保険者で、六五歳になると第一号被保険者になります。

基本的には第一号被保険者が、介護保険サービスの対象ですが、老化が原因とされる病気で介護が必要となった場合は、第二号被保険者もサービスが受けられるようになっています。費用の負担は、原則として一割。財源の五割は保険料で、残りの五割は国や自治体の税金でまかなわれています。

これは、あくまでも保険ですから、介護を必要としない人は、掛け捨てになってしまいます。しかし現実には六五歳以上の高齢者が人口の三分の一に達し、安定したサービスを持続させるためにも、所得によっての負担費用の見直しなど、制度の改定が行われています。

海外の介護保険制度は？

福祉大国といわれる北欧では、介護制度も充実していて、とくに在宅介護に力をいれています。高齢者が長年暮らしたコミュニティーを離れることなく、自宅で十分な介護サービスが受けられるようになってきています。しかも保険ではなく、介護が必要な高齢者は誰でも無料で支援や介護が受けられます。そのために国民は高い税金を払っているのです。消費税だけをみても二四％から二五％。日本の倍以上です。

高齢者介護にかかわらず、高度な福祉制度を構築し、それを維持するためには、十分な財源が必要です。それが保険料なのか税金なのかは別としても、集めたお金をどう運用していくかは国や政府にかかっています。ですから、社会福祉のためなら税金が高くなってもかまわないと国民が思うようになったとしても、前提として、国民に信頼される国であることが重要になってくるのです。

Q15 日本の医療保険は健全？

日本では健康保険があるため、病院にかかっても基本は三割の負担ですみますが、海外では医療費が高額になるところもあると聞きます。一方で福祉大国と呼ばれる北欧などでは、医療費は無料だと聞きます。日本の医療保険はどれほど健全なのでしょうか。

恐れられた新型インフルエンザ

二〇〇九年、新型インフルエンザの感染が世界に拡大しました。メキシコから始まってアメリカに広がっていったこのインフルエンザは当初、豚《ぶた》インフルエンザと呼ばれ、致死率が非常に高いと恐れられました。

日本でも、水際《みずぎわ》で防がなくてはと、空港の検疫《けんえき》が強化されます。国際空港の検疫官が防護服姿で到着機に入っていく姿が報道され、危機感が高まりました。これがきっかけで、新型インフルエンザ等対策特別措置法が制定されます。二〇二〇年の新型コロナウイルス感染症にも改正されたこの法律が適用されました。

しかし、対策もむなしく、この新型インフルエンザは日本中に広がっていきます。新たな感染者が出るたびに、当時の舛添《ますぞえ》要一《よういち》厚生労働大臣が記者会見をしていました。ところが、感染が広がっても、重症化したり亡くなったりする人はごくわずかで、毎年流行しているインフルエンザとほとんど変わりがないことがわかってきます。では、なぜ致死率が高いと言われたのか。

アメリカは医療費が異常に高いことで有名です。当時は国民皆保険制度がなく、そのため、民間の保険に加入していない人のほとんどが、インフルエンザにかかっても病院に行くことができませんでした。つまりこの新型インフルエンザにかかったほとんどの人が病院に行かず、肺炎などになって重篤《じゅうとく》化《か》した人だけが救急車で運ばれたのでした。その結果、致死率が高く見えたということなのです。

病院に行かなければ感染者にカウントされない

「この新型インフルエンザの感染者数が最も多かった国はどこでしょう」

これは、日本の医療体制について大学で話すとき、私がいつも学生にする質問です。学生からは「アメリカ」、「中国」などという答えが返ってきますが、正解はなかなか出ません。正解は「日本」です。

なぜそうなるか。世界の感染者はＷＨＯ（世界保健機関）に報告され、統計がとられます。ということは、病院に行かない限り、感染していてもその数には含まれません。日本には国民皆保険の制度があり、インフルエンザの症状があれば、誰もが病院に行き、治療が受けられます。それが感染者の数字としてＷＨＯに報告されました。

二〇〇九年の新型インフルエンザにより、日本で亡くなった人は一九九人。これに対して、メキシコでは一〇〇〇人以上。アメリカは一万二〇〇〇人を上回ったとされています。それでも感染者の報告数で日本が多かったのは、軽症でも誰でも病院にかかれる証明です。日本の医療制度が優れていることを学生に話すとき、この話題を持ち出すのです。

アメリカには病院のための保険がある

アメリカもその後、オバマ大統領が国民皆保険制度を目指し、いわゆるオバマケアを制度化させました。それ以前は、保険に加入できない人が多くいました。そういう人たちは、病気になってもよほどのことでない限り、病院には行きません。症状が悪化して、どうにもならなくなってはじめて救急車を呼びます。アメリカでは、救急車で搬送された患者は、必ず治療しなくてはならないことになっているからです。

治療が終わると、患者を待っているのは高額な治療費です。するとどうなるのか。患者が逃げるのです。アメリカには、治療費を取りそびれた病院のための保険があります。患者が逃げた場合、その治療費を保険会社が補ってくれるのですが、当然保険料が必要で、その保険料も治療費に上乗せされ、さらに医療費が高くなっているという現状があるのです。

二〇二〇年に世界に広まった新型コロナウイルスでは、アメリカで初期に感染した患者が重症化し、ＥＣＭＯ（人工肺とポンプを用いた体外循環回路による治療）を用《もち》いらざるを得なくなりました。治療の甲斐あって、その患者は回復したのですが、請求された治療費は一億円でした。新型コロナに関しては、アメリカでは治療費は無料ということになり、実際にはその費用は払わなくてすんだのですが。

オバマ大統領が進めたオバマケアですが、次の大統領のトランプはこれに反対。なんとか廃止しようとしたのですが、果たせませんでした。

以前、日本に来たイギリス人からこんな話を聞きました。

体調が優れず熱もあったので、病院に行きました。受付で症状を伝えたところ、「少々お待ちください」と言われたそうです。彼は「少々というのは、三日だろうか、一週間だろうか」と思いながら待っていると、一〇分も経たないうちに医者に診《み》てもらえたので、たいそう驚いたそうです。

イギリスは日本と同様に国民皆保険の制度があり、しかも医療費は無料です。そこにホームドクター制度があり、進んだ医療体制のようですが、完全とは言えないようです。イギリスで病気になった場合、まず登録している地域のホームドクターに診てもらいます。そこで高度な治療や手術が必要だと診断されたら、専門の病院に行くことになります。ところが、すべてが無料なものですから、どの病院も患者でいっぱいで、予約が一週間も二週間も先になることがめずらしくありません。

一刻も早く診てもらいたい場合は、救急車で運ばれるか、プライベートクリニックに行くしかありません。プライベートクリニックは保険のきかない病院で、治療費も高額になります。結果、そうしたお金を払えない人は、病院で延々待たされることになるのです。

日本の医療体制は優れている

日本では、一九五〇年代の半ばまで、国民の三分の一が無保険者でした。一九五八年に新しい国民健康保険法が制定され、一九六一年に国民健康保険事業が始まりました。これによって、原則としてすべての国民が平等に保健医療を受けられるようになりました。

現実には、病院で待たされることも多く（イギリスほどではないが）、万全というわけにはいきませんが、それでも誰もが病院を選べて、軽症でも医者にかかることができる日本の医療体制は、世界と比べても優れていると言えるでしょう。

Q16 なぜホームドクター制度が浸透しない？

新型コロナウイルスで「かかりつけ医」という言葉が頻繁に聞かれるようになりました。「かかりつけ医」がいないために受診できなかったり、ワクチンが打てないということも。国は「かかりつけ医」の制度を広めようとしているのでしょうか。

紹介状というシステム

イギリスのホームドクター制度については、「Q15 日本の医療保険は健全？」（九三ページ）のところで少し述べました。合理的である反面、予約が一週間後だったり、予約時間に行っても長時間待たされたりといったデメリットもあるのが現状のようです。

日本では「ホームドクター」と呼ばず、「かかりつけ医」という名前で普及を促しています。かかりつけ医は、医療以前の体調不良の相談ができ、早めの対策と的確な専門医の紹介をしてもらうことで、自己判断での重症化を防ぐのが大きな目的になっています。

日本では誰でもどの病院にでもかかることができます。私たちは当たり前だと思っていますが、これは世界でもめずらしく、実は素晴らしいことなのです。

しかし、この素晴らしいシステムがあるがために、大学病院や総合病院に患者が殺到してしまう事態にもなっています。また自己判断でいきなり総合病院にいくと、診療する科が違っていたりする場合もあります。これも医療活動を停滞させます。こういった混雑を緩和させるために、紹介状という制度をつくりました。現在では、紹介状のない初診料は五〇〇〇円と高額になっています。

薬は儲かる

以前、デンマークのホームドクターを取材したことがあります。デンマークは、医療費は無料で、ホームドクター制度が整っている国です。日本と大きく違っていたのは、治療もなければ薬も出さないということでした。

ある患者が「熱があって身体がだるいんです」と言う。すると医師は「風邪ですね。家で寝ていてください。寝ていれば治りますから」と言うだけで、患者を返してしまいました。また別の患者は、「週末に庭仕事をしたら、あちこちが痛くて」と訴えます。ここでもその医師は「筋肉痛ですね。家で寝ていてください」と言うだけでした。

医師にそう言われれば、仕事も休めるのがデンマークです。その部分も日本とは違うのですが、薬も湿布もありませんでした。

実はこれ、医療費を抑える対策なのです。日本も保険料以外で医療費に税金が使われていますが、デンマークでは全額税金です。病気や怪我ならすみやかに休めるシステムをつくり、絶対に必要だとされない治療はせず、薬も出さないのです。

日本だと、「何もしないのはやぶ医者だ」とか「何で薬も出さないのか」などと言われそうですよね。

医薬分業

日本は世界でもトップレベルの薬消費大国です。

以前は、病院でこれでもかというほど薬を出していました。これは、病院が薬を売っていたんですね。薬を出せば出すほど、開業医は儲かる、という時代がありました。国民は、それに慣れてしまったんですね。薬が少ないと、不安になる人もいるくらいですから。

たとえばインフルエンザで病院に行くと、よく抗生物質を処方されていました。ところが、抗生物質はウイルスにはまるで効きません。効果はゼロです。そのときの医者の理屈が、「インフルエンザで高熱が出ると体力が弱り、免疫力も弱ってしまう。そうなると他の病気にかかるかもしれない。それを防ぐために抗生物質を使いましょう」というものでした。かかってもいない病気を防ぐために、日本では大量の抗生物質が消費されていたのです。結果、薬の効かない耐性菌が現れ、その耐性菌に効く薬が開発されるという、情けないイタチごっこが続いています。

その後、薬漬けからの脱却をはかるために、医薬分業という形になってきています。治療は病院で、薬は薬局でということになりました。

かかりつけ医制度はなぜ進まない？

国民皆保険制度があり、病院を選べる自由がある日本の医療制度は、世界の中でも進んでいると言えます。さらに国民の健康を守り、医療の負担を減らすために、かかりつけ医が奨励されるようになりました。

ただ、これが目に見えて拡大しない理由は、我々の意識にあるようです。大きい病院のほうが最新の医療機器も揃っていて安心。薬を出してもらえるのは安心。できれば雑誌に取り上げられているような有名な医師に診てもらいたい。そんな意識、あなたにもありませんか？

Q 17 日本はなぜ新型コロナウイルスの侵入を阻止できなかった？

日本は島国であり、海外とは空と海でしかつながっていません。水際での対策がしっかりしていれば、ウイルスの侵入は防げるはずですが、なぜそうならなかったのでしょうか。

初期はみごとに防いだ台湾

二〇〇二年から二〇〇三年にかけて、アジアやカナダを中心にＳＡＲＳ《サーズ》（重症急性呼吸器症候群）の感染が拡大しました。このＳＡＲＳは新型コロナウイルスと同様に飛沫で感染しますが、日本は一人の感染者も出していません。また二〇一二年に中東で発生したＭＥＲＳ《マーズ》（中東呼吸器症候群）は、ラクダを感染源とするもので、治療薬もワクチンも開発されていませんが、幸い日本での発症例はありません。

たしかに日本は島国で、どの国とも陸上で国境を接していませんから、確実な情報と入り口でのしっかりした対策があれば、侵入を防ぐことができるはずです。

ＳＡＲＳで感染が拡大したのは、同じ島国の台湾でした。水際で食い止めることができず、多くの病院で院内感染が起きて、病院を医師や看護師ごと閉じ込めて封鎖するような事態になり、国中がパニックに陥りました。このときの経験を活かし、台湾では対策が講じられました。

新型コロナウイルスについて中国政府は「いち早くＷＨＯ（世界保健機関）に伝えた」と言っていますが、そうではありません。ＷＨＯには、感染症の早期警戒網があります。ＳＮＳ上での危険キーワードを察知するもので、中国の武漢《ぶかん》で「新型の肺炎」という言葉が飛び交っていることに気づきます。そこで中国に問い合わせたところ、そのとき初めて気づいたのか、隠しきれないと判断したのか、感染が拡大しつつあることを認めたのです。

このＷＨＯとほぼ同時期に、情報をキャッチしていたのが台湾でした。中国のＳＮＳのモニターで「新型肺炎」を捉えると、ただちに緊急対応センターを設置し、水際対策を強化して、中国からの入国を阻止します。さらにはマスクの輸出を禁止し、国民を安心させた上で、マスクが行きわたるようにアプリの提供も行いました。

まったくの余談ですが、ＳＡＲＳが台湾や中国で流行したとき、なぜ日本では感染者が出なかったのかが話題になりました。それに答えたのが言語学者でした。その学者の仮説は、「中国語には破裂音が多く、破裂音を発音するたびに飛沫《ひまつ》が飛ぶから、これが感染拡大の一因として挙げられる」というものでした。たしかに日本語では「ぱぴぷぺぽ」などの破裂音は少ないですから。

対応の遅れは遠慮

二〇二〇年は安倍政権にとって画期的な年になるはずでした。森友学園問題や加計学園問題などで信頼を失いつつあった政府は、それらをうやむやにしながら新たな打ち上げ花火に国民の目を向けさせようとしました。それが、四月に予定されていた、中国の習近平《しゅうきんぺい》国家主席の訪日と七月から開催される予定だった東京オリンピック・パラリンピックでした。

とくに中国の国家主席を国賓として迎えるのは、二〇〇八年の胡錦濤《こきんとう》国家主席訪日以来で、国内外に外交上のアピールになると政府は踏んでいました。ところが武漢で新型コロナウイルスが発生。世界への急速な感染拡大が進んでいました。

二〇二〇年二月上旬の段階で、中国滞在者の入国を禁止したのはアメリカ、台湾、ニュージーランド、オーストラリア、シンガポール、フィリピンなどでしたが、日本は武漢がある湖北省滞在者のみの入国を禁止しただけでした。中国はアメリカに対し、ＷＨＯが往来《おうらい》を制限しないように呼びかけているにもかかわらず、中国からの入国を禁止するのは親善の行動ではないと批判していました。

こういう状況下で、日本政府は中国に遠慮し、中国からの入国禁止を決定するのが遅れたのでした。国家主席を招いて首脳会談を実現させたい、でも、新型コロナウイルスの日本への侵入を阻止しなければならない。逡巡しているうちに、国家主席より先にウイルスがやってきたのでした。

ウイルスは変異する

中国からのウイルスによる国内感染が分かった時点では、感染例も少なく、感染者の行動の追跡も可能でした。つまり、中国からのウイルスは、何とか封じ込めることができていたのです。

ところが、ウイルスはおよそ二週間で変異します。イタリアやスペインで感染が拡大し始めた時点で、すでに変異をとげていました。遺伝子レベルでは、中国由来のウイルスはヨーロッパ由来のウイルスに変異していたのです。しかし、日本がヨーロッパのほぼ全域からの入国を制限したのは四月になってから。この間、春休みを利用した日本からの観光客が、ウイルスを国内に持ち込んでいたのでした。中国のことばかり考えていたら、思わぬところからウイルスがやってきたということでした。

これは、アメリカも同様でした。アメリカは日本に先駆けて中国との往来を禁止し、「俺が中国からの入国をいち早く禁止したから、大勢の命を救うことができた」とトランプ大統領は自慢しましたが、ヨーロッパからの入国への対応は遅れ、爆発的な感染拡大を招きました。当初、カリフォルニアで確認されたウイルスは中国由来のものでしたが、ニューヨークから広がったものは、ヨーロッパ由来のウイルスだったのです。

何でも想定外

韓国は二〇一五年にＭＥＲＳの流行で一八〇人を超える感染者をだしました。このときは、初期の患者がウイルスによる感染だとわからず、原因がはっきりしないと言われた患者が別の医者にかかるという、いわゆるドクターショッピングをしたために感染が広がり、院内感染が発生したのでした。このときの反省から、韓国では新たなウイルスに対する初期対応策が講じられていました。それらの対策は、新型コロナウイルスにも、初期の段階では効果を発揮していました。

日本は長い間、ウイルスの侵入を防いできましたし、侵入があったとしても、被害を最小限に食い止めてきました。つまり、深刻な感染拡大を経験していなかったために、パンデミックを想定した準備ができていませんでした。新型コロナウイルスの感染拡大に際しては、マスクは不足し、医療用の備品も乏しく、医療体制は混乱を極めます。政府は想定外と言いますが、海外の例を見れば、危機管理能力の問題だと言わざるを得ません。ましてや、政治的理由で国民を危険にさらすのは、論外です。

Q18 日本製のワクチンはできない？

日本は医療先進国で、薬の分野でも世界のトップレベルにあると思っていましたが、新型コロナウイルスのワクチン開発はなぜ遅れているのでしょうか。

ワクチンとリスク

ワクチンとは、病原体への抗体を体内に作り出し、その抗体が体内で増えることで病原体に対する免疫をつけるものです。従来のワクチンは病原体を、無毒化、あるいは弱毒化して体内に入れ、免疫をつけるものでした。それでも元は病原体であり、人体にとっては異物です。そのため、一部の人には副反応が起こります。

副反応は、微熱程度の症状から、障がいとして残るもの、あるいは死に至るものまでさまざまですが、副反応のないワクチンはありません。毎年、インフルエンザの流行の型が予測され、それに対するワクチン接種が行われていますが、これによっても副反応を起こす人は出ています。

一九八〇年代まで、日本はワクチン開発国のひとつでした。一九四八年の予防接種法により、さまざまなウイルスの感染予防対策として、ワクチンの接種が義務付けられました。同時に国内でのワクチンの研究と開発が進み、国もこれを支援してきました。

しかし一九七〇年代には、天然痘ワクチン、ＤＰＴワクチン（ジフテリア、百日咳、破傷風の三種混合）、一九八〇年代には、ＭＭＲワクチン（麻疹、流行性耳下腺炎、風疹の新三種混合）による重篤《じゅうとく》な副反応が問題になります。被害者の集団訴訟では、国と製薬会社はつぎつぎに敗訴。これにより、国のワクチン政策は一気に及び腰になっていきました。

二〇一六年にも、子宮頸《けい》がんワクチンの接種による副反応を国や製薬会社は予見できたとして、被害者の女性たちが訴訟を起こしています。このワクチンは国の緊急促進事業とされて接種が無料となり、全国の女子中高生約三三九万人が接種していました。そのうち、およそ二九〇〇件の健康被害が報告されたのでした。

訴訟となれば、判決までに時間がかかり、費用も莫大になります。さらに損害賠償にまで及ぶと、国は接種を強制できなくなり、その結果、製薬会社も開発から離れていったのです。

ワクチン接種には、副反応のリスクがつきまとい、ワクチンを製造する製薬会社にも推奨する国にも副反応による訴訟というリスクがつきまといます。

時間とお金のかかるワクチン開発

新型コロナウイルスは、たちまち世界中に感染が拡大し、同時にワクチンの開発が待たれました。日本でも国産ワクチンの登場が期待されましたが、世界には大きく後れをとっています。日本政府は二〇二〇年に、新型コロナウイルスのワクチン開発と生産体制の整備のために約二〇〇〇億円の補正予算を計上しました。これに対し、アメリカ政府が組んだ予算は一兆円。意気込みが違い過ぎます。

さらに言えば、ワクチンはお金があればすぐにできるものではありません。長期間の研究と治験、臨床試験を経て、有効性と安全性が高められます。アメリカで早く製造にこぎつけたモデルナは、ｍＲＮＡ（messenger RNA）の研究のために、二〇一〇年代から国防総省や保健福祉省から莫大な支援を受けていました。ｍＲＮＡは抗体そのものではなく遺伝子情報で、その情報によって細胞にタンパク質をつくらせます。そして、そのタンパク質がウイルスに対する抗体の生産を促し、免疫を得るものです。

アメリカでは、政府による支援と、それによる長期間の研究があったからこそ、発生から一年にも満たない期間でワクチンをつくることができたのです。

アメリカのファイザーは、世界で最も早く新型コロナウイルスワクチンの開発に成功し、世界中に届けました。この開発には、ハンガリーからアメリカに来て、ｍＲＮＡの研究をしていたカタリン・カリコ氏と、ドイツに住むトルコ系ドイツ人の夫婦の存在が欠かせませんでした。夫のウール・シャヒン氏は四歳のときにドイツに移住しました。妻のエズレム・テュレジ氏はトルコからの移民の二世で、夫婦ともにドイツで医学部を卒業した医師であり研究者です。二人は、ｍＲＮＡによる癌のワクチン開発のために、ビオンテックという企業を設立し、研究を続けていました。二〇二〇年に新型コロナウイルスの遺伝子情報が中国から伝えられると、カリコ氏の研究にもとづく自分たちの研究が役立つはずだと思い、ワクチン開発に取りかかったそうです。それを知ったファイザーが資金と生産体制を提供し、実用に至ったのです。ちなみにトルコ系の移民は、ドイツでは差別の対象にさえなる存在でしたが、メルケル首相は「我がドイツの誇りだ」と讃《たた》え、夫婦は『ＴＩＭＥ』の表紙にも登場しました。

アメリカ、ドイツのいずれも、実用例のないｍＲＮＡの研究がワクチンの開発につながっています。この部分こそが、日本の大学でないがしろにされている基礎研究にあたるものでした。

日本製ワクチンはできるか？

日本では、先に述べたような状況で製薬会社のワクチン開発は、ほとんど停滞していました。国からの支援があるわけでもなく、国の政策も及び腰では、リスクは負いきれません。もし、アメリカと同じ予算が与えられたとしても、研究蓄積のない日本では、早期のワクチン開発は望めなかったでしょう。これも危機管理の脆弱《ぜいじゃく》な部分といえます。さらに、数々の訴訟で国民には「ワクチンは有効性も少なく、副反応の方が危険だ」という意識さえ強まっています。

何十万に一、何百万に一でも、副反応による重篤な症状は避けられません。これを危険だと判断して、接種を拒むのは個人の自由です。しかし一方で、ワクチンさえあれば、何万人、何十万人もの命を失わずに済んだという現実もあるのです。

第3章
教育

Q19 部活動は日本だけ？

日本では中学、高校を通して部活動があり、五割から七割の生徒が参加しているようです。同様の部活動は海外の学校にもあるのでしょうか。

部活動は教育のひとつ

日本の学習指導要領では、初等教育つまり小学校における「クラブ」は特別活動とされ、必修になっています。

中学校、高等学校での「部活」は課外活動となっていて、必須とはされていません。しかし、さまざまな部活動で学校対抗の大会が開かれ、どの学校でも部活動はさかんに行われています。

中学校の学習指導要領には、部活動は以下のように位置づけられています。

生徒の自主的、自発的な参加により行われる部活動については、スポーツや文化及び科学等に親しませ、学習意欲の向上や責任感、連帯感の涵養等に資するものであり、学校教育の一環として、教育課程との関連が図られるよう留意すること。その他、地域や学校の実態に応じ、地域の人々の協力、社会教育施設や社会教育関係団体との連携などの運営上の工夫を行うようにすること。

――「中学校学習指導要領」より

つまり、戦後の学校のなかで、部活動はつねに教育の一環として捉えられてきました。「自主的、自発的」と言いながら、あくまでも教育ですから、教師がかかわらざるを得ません。部活動に限らず、地域活動も含めたあらゆることを教育の一環として、学校が丸ごと抱え込んできた歴史が日本にはあります。その結果、教師の負担の大きいことが長く問題になってきました。

地域スポーツや文化活動の拠点の整備が遅れたために、学校が対応せざるを得なかったという指摘もありますが、学校が丸抱えしたために、そういった環境の整備が遅れたとも言えます。

先生は授業だけする海外

日本のように、運動系文化系を問わず、さまざまな部活動が学校に存在し、七割近くの生徒が参加しているという状況は、世界でも珍しいと思います。

アメリカの高校には、アメリカンフットボールや野球、バスケットボールなど人気スポーツの部活動がありますが、一年を通して行われるものではなくシーズン制になっています。しかも、誰でも参加できるわけではなく、能力の高い生徒しか活動できません。

それでもスポーツをしたい生徒は、放課後、地域のスポーツクラブなどに参加します。あるいはスポーツジムに通います。

このように、学校にも部活動はあるけれど、それはほんの一部の生徒が参加するもので、大半は学校以外の場所で運動や文化活動に取り組むのが欧米の主流のようです。

ただ、ヨーロッパのなかでも、北欧やドイツなどには、学校での部活動がありません。日本の部活動に代わるものは、すべて地域主導で行われています。

以前、フィンランドの学校を取材したところ、まず驚いたのが、教師は自分の教える授業が終わると、さっさと家に帰ってしまうこと。授業だけが仕事と割り切っていて、学校全体がそういうスタイルになっているのです。生徒の悩みごとなどには、スクールカウンセラーが対応しますし、部活動の指導もありません。

生徒は授業が終わると、学校の前に並んだバスに乗り込み、地域のスポーツセンターなどに散っていきます。

さらにいうと、これは部活動とは離れますが、フィンランドの中学には進路相談もありません。なぜないのかと校長先生にたずねたところ、「子供がどこに進学するかは、そこの家庭の問題です。そのようなプライベートな問題に、なぜ学校が口をださなくてはならないのですか」と聞き返されてしまいました。「おっしゃる通りです」としか言いようがありませんでした。

部活動もなく、悩み相談も進路相談もなく、授業に専念できれば、教師は自分の子育てもしやすいはずです。

日本はというと、最近では、教師でない外部の人間も部活動の指導が行えるようになり、監督やコーチなど、その道の経験者が採用されるようになっています。しかし実際にはごく一部で、部活動にかかわる教師の負担は、大きくは減っていません。

Q20　子供の学力は低下している？

子供の学力が低下していると聞きます。とくに読解力が落ちているというニュースもありました。実態はどうなのでしょうか。

ゆとり教育のせい？

子供の学力をはかるものとして、ＯＥＣＤ（経済協力開発機構）によって行われているＰＩＳＡ（生徒の学習到達度調査）というものがあります。世界各地の一五歳を対象に三年に一度、読解力、数学的リテラシー、科学的リテラシーの三分野で調査が実施されています。

それ以前は一〇歳を対象に行われた、ＩＥＡ（国際教育到達度評価学会）が行っているＴＩＭＳＳ（国際数学・理科教育動向調査／二〇〇三年より前は、国際数学・理科教育調査）が指標とされ、一九七〇年代から一九八〇年代にかけて、日本の学力は世界トップレベルになっていました。

二〇〇〇年に始まったＰＩＳＡでも、各部門で日本はトップクラスでしたが、二〇〇三年の調査では、順位が大きくダウンします。科学的リテラシーは二位のままでしたが、前回一位だった数学的リテラシーは六位に、読解力は八位から一四位になったのです。

これを受けた教育界は「ＰＩＳＡショック」と呼び、「ゆとり教育のせいだ」という声も上がり、マスコミも報道しました。

「ゆとり教育」とは一九八〇年代から導入された教育方針で、「詰め込み教育」を是正し、ゆとりある学校を目指したものです。とくにゆとり世代と呼ばれるのは、二〇〇二年から二〇一〇年に小学生から中学生だった世代で、この時期は小中において学習内容の三割が削減され、完全週休二日も実施されました。この世代におけるＰＩＳＡの順位が下がったことから、学力低下はゆとり教育のせいだ、という言葉が広がっていったのです。

順位は下がっても

ＰＩＳＡの調査対象となる生徒は、任意に学校が選ばれ、学校が同意すれば、その中で生徒が選ばれます。実施時期は、だいたい八月。始まった当初は「日本代表だから」という責任感もあったようですが、日本の一五歳といえば、高校生になったばかり。しかも実施時期は夏休み。「成績に関係ないのに、しかも休みの日に」というやる気の低下が見えます。

さらには、当初参加していなかったシンガポール、マカオ、といった教育熱心な国が参加するようになり、日本の順位が下がる結果になりました。また、中国は、国家として参加しているのではなく（国家として参加すると、全国平均では極めて低くなる可能性がある）、北京や上海など教育熱心な富裕層が多い都市が例外的に参加していますので、もともと比較はできないのです。

順位は下がっていますが、統計学的に処理された点数には、さほどの落ち込みはありませんでした。つまり有意差はなく、順位だけに目が行ったために「学力低下」が言われるようになり、原因としてゆとり教育が持ち出されたのです。

すべて「ゆとり教育」のせいか？

ゆとり教育によって学力は低下する、というイメージ拡散に輪をかけたのが学習塾の日能研でした。ゆとり教育が始まると、首都圏の電車に「ウッソー!? 円の面積を求める公式 半径

×半径×３⁉」という広告がでます。公立の学校に行けばこんなふうに教えられてしまうけれど、日能研に通って私立に行けば円周率はちゃんと３・１４で教えてもらえるよ、というキャンペーンだったのです。さらには、「さよなら台形君」というキャッチコピーも登場。ゆとり教育で「(上底＋下底)×高さ÷２」という台形の面積を求める公式が学習内容から削除されたことを逆手にとったものでした。

当時の指導要領では、小数点を習う前に円周率が出た場合は、３として計算していい、とするもので、いずれは３・１４として計算しますし、台形についても、三角形の面積から台形の面積も求められるので公式をはずしただけのことでした。

しかしこれにより、「ゆとり教育で学力は下がる」と多くの人が勘違いし、中学受験ブームに発展するという事態が起こったのです。

ＰＩＳＡの順位は二〇〇六年から上昇か横ばい傾向にありますが、二〇一八年の調査では、読解力が一五位にとどまり、再び騒がれることになりました。ただ、この年のテストは、すべてパソコン上で行われています。文章を読みながら、図表やグラフを別画面で引っ張り出すといった作業が必要で、そういうことに慣れているかどうかによっても点数に差が出たと言われています。日本に比べてＩＴ化が進んでいる国の生徒には、有利だったとも言えるでしょう。いずれにせよ、危惧されるほど学力が低下しているという根拠はないのです。単純に順位が下がったのを見て「大変だ。学力が低下している」と思い込んでしまい、それが「ゆとり教育のせいだ」というイメージが広がっていったのです。

全国の学力差はなくなっている

ゆとり教育で学力が低下したと言われ、復活したのが全国学力テスト（全国学力・学習状況調査）でした。二〇〇七年、小学六年生、中学三年生を対象に、四三年ぶりに再開されました。この調査方法は、任意抽出のＰＩＳＡと違って、悉皆《しっかい》調査といわれるものです。ことごとくみな、つまり、全員が対象になります。全員が受けますから試験の問題は公表されます。そうなると、同じ問題は翌年には使えなくなります。

学力テスト復活の数年後、文科省の記者クラブで学力テストの結果について発表がありました。そこに出席した記者から聞いたことです。ある記者が「去年に比べて学力は上がったのですか、下がったのですか」と質問しました。すると文科省の担当者は「去年と問題が違うので、比較できません」と答えたそうです。何のための調査なのか。記者たちはあきれ、それを聞いた私も、文科省の役人の学力低下が心配になりました。

ＰＩＳＡは、任意のごく一部を対象にしますから、問題も回収されて公表されません。ですから、三年後に別の任意の対象者に同じ問題を出すことができます。こうすれば、年度ごとに比較が可能ですが、毎年問題を変えている学力テストでは、比較ができないのです。当たり前ですよね。

ただ、この学力テストの復活でわかったことがあります。

私も以前の学力テストを受けた世代です。当時は都道府県によって成績のばらつきがありました。東京、大阪といった都市部の子供のほうが成績が良かったのです。ところが、ここ近年のテストでは、秋田、石川など地方の県が上位になっています。

　つまり、全国において学力差がなくなってきていることが明らかになったのです。ここ数十年の日本の教育は、ちゃんと成果を上げていると言えます。「最近の子供たちは」、「子供の学力が」などと、エビデンス（証拠）もないまま、大人は言いたがるということです。

Q21

子供の幸福度ランキング、日本が低いのはなぜ？

ユニセフの「子供の幸福度ランキング」（二〇二〇年発表）によれば、日本は先進国三八か国中二〇位だそうです。どういう内容なのでしょうか。

日本の順位はどのくらい？

『レポートカード16―子どもたちに影響する世界：先進国の子どもの幸福度を形作るものは何か』は、ユニセフの研究所による報告書で、精神的幸福度、身体的健康、スキルの三つの視点からランキングを発表しています。

日本は二〇二〇年の調査で、三八か国中二〇位でした。その内容を見てみましょう。

まず日本のランキングの高いところから。もうおわかりでしょうが、身体的健康が一位で

図4　ユニセフ「子どもの幸福度」38カ国ランキング（2020年）

総合順位	国名	精神的幸福度	身体的健康	スキル
1	オランダ	1	9	3
2	デンマーク	5	4	7
3	ノルウェー	11	8	1
4	スイス	13	3	12
5	フィンランド	12	6	9
6	スペイン	3	23	4
7	フランス	7	18	5
8	ベルギー	17	7	8
9	スロベニア	23	11	2
10	スウェーデン	22	5	14
11	クロアチア	10	25	10
12	アイルランド	26	17	6
13	ルクセンブルク	19	2	28
14	ドイツ	16	10	21
15	ハンガリー	15	21	13
16	オーストリア	21	12	17
17	ポルトガル	6	26	20
18	キプロス	2	29	24
19	イタリア	9	31	15
20	日本	37	1	27
21	韓国	34	13	11
22	チェコ	24	14	22
23	エストニア	33	15	16
24	アイスランド	20	16	34
25	ルーマニア	4	34	30

出典・参照：ユニセフ イノチェンティ レポートカード16を参考に作成

※ 精神的幸福度は「15歳の生活満足度（PISA）」「15歳から19歳までの自殺率（WHO）」の2項目、身体的健康は「5～14歳の死亡率」「5～19歳の子どもの肥満率」の2項目、スキルは「15歳の読解力・数学での習熟度（PISA）」「社会的スキルを身につけている15歳の割合（PISA）」の2項目で評価した。

※ 英国27位、米国36位

※ 日本は生活の満足度が37位、友達作りの評価が37位だった。

す。ここには二つの指標があり、「五〜一四歳の死亡率」と「五〜一九歳の過体重／肥満の割合」になっていますが、それでも世界と比較すれば、日本の子供は病気になれば医者にかかれるし、健康が保たれているということです。

次は、スキル。これが二七位になっています。スキルの指標というのは「数学・読解力で基礎的習熟度に達している一五歳の割合」と「社会的スキルを身につけている一五歳の割合」です。前者は上位だろうと想像できますが、後者がずっと低いようです。社会的スキルというのは、新しい友達をつくることに自信を持っているかどうかで、日本の子供は、南米のチリとほぼ並んで最も自信がないようです。

そして、全体のランキングをさらに下げているのが精神的幸福度です。この指標は「生活満足度が高い一五歳の割合」と「一五〜一九歳の自殺率」です。生活に満足していると答えた割合が最も低かったのがトルコで五三％、それについで日本は六二％でした。また先進国では、自殺が一五〜一九歳の主要な死因になっていて、日本も例外ではないようです。この精神的幸福度が三七位で、健康では一位にもかかわらず、全体のランキングは二〇位になっているのです。

「頑張れ」と言わない海外の親

「我が国と諸外国の若者の意識に関する調査」という内閣府が発表している調査があります。これは、日本、韓国、アメリカ、イギリス、ドイツ、フランス、スウェーデンの七か国の一三〜二九歳の若者を対象とした意識調査です。ここに先ほど出た「社会的スキル」につながる結果があります。

この中に「自己認識感」という項目があります。「自分自身に満足している」という質問では、一位のアメリカの八六・九%に対して日本は四五・一%。六位の韓国でも七三・五%であることから、日本の若者がいかに自分に満足していないかがわかります。

さらに「自分には長所がある」という質問でも、日本は六二・三%で最下位。アメリカ、ドイツ、フランスは、九〇%を超えていますから、こちらも大きな差があります。そして「将来への希望」という質問においても、六〇・六%の日本は最下位です。

こうしてみると、自分に自信が持てず、それでも親や社会に応えようとして苦しんでいる状況にある子供や若者の多いことが、幸福度のランキングを下げているように思えます。

たしかに私の知る海外の親たちは「頑張れ」って言わないんですよね。当たり前のことでも、できたらただ褒《ほ》める。そして、「何々ちゃんに比べて」などと、比較をしません。日本も昔とは違い、子育ても変わってはきていますが、それでも励ますつもりでつい「頑張れ」と言ってしまう。その結果、追いつめられる子供が大勢いるのではないでしょうか。

大人は幸福なのか？

子供の幸福度が低いというなら、大人はどうでしょう。

二〇二一年に発表された国連の「世界幸福度ランキング」では、日本は五六位。やはり、という結果になっています。ちなみに一位は四年連続でフィンランド、二位はデンマーク、三位スイス、四位アイスランドで五位がオランダ。およそ子供の幸福度と重なります。

「一人あたりのＧＤＰ（国内総生産）」や「健康寿命」など、六つの項目でアンケート調査されたものですが、日本が低かったのは「人生の選択の自由度」と「寛容さ」の二つでした。

物質面では世界の上位にある日本ですが、それを得るための経済が優先され、豊かな精神性が損なわれる。社会の中での上昇志向は、いいことではあるのですが、その上昇志向がかえって自分を苦しめることもあるかと思います。結果に満足できず、自分は幸せではないと思うようになっているのかもしれません。「今の仕事で十分」「残業しないで家族と過ごそう」くらいの感覚で個々のワーク・ライフ・バランスを充実させていけば、幸福度は高まっていくのではないでしょうか。

まあ、私自身、ワーク・ライフ・バランスについては、偉そうなことは言えませんが。

人生において何を優先させるのか。そこに多様性があれば、選択の自由度も寛容さも高まっていくはずです。

意識調査やランキングですべてを測ることはできませんが、それでも、「これが普通だ」と思っている日本の常識の中には、子供だけでなく大人のためにも変えていくべき状況が多くある、ということではないでしょうか。

Q22 新学期が四月なのは、なぜ？

日本では入学式は四月と決まっていますが、海外では九月が多いようです。なぜこうなったのでしょうか。

日本も九月はじまりだった

夏目漱石の作品に『三四郎』という小説があります。

主人公の小川三四郎は東京帝国大学に合格し、九州から汽車で上京します。そこで乗り合わせた妙齢の女性と知り合い、ひょんなことから途中下車した名古屋で、同じ部屋に泊まることになります。純情で女性経験もない三四郎は、どぎまぎして何も起こらないのですが、そのときの部屋に蚊帳《かや》が吊られているのです。時期は八月。入学のために上京するのが八月ですから、つまり入学が九月だとわかります。

日本の教育制度はヨーロッパを手本にしましたから、入学は同じく九月でした。ところが一八八六年に徴兵令が改正され、軍隊に入るための検査対象者の届け出が九月から四月に変わりました。そうなると大学からすれば、九月に入学してくるはずの優秀な学生が、四月に軍にとられてしまうことになります。そこで徴兵の前に大学に入れてしまおうということになり、入学も四月に変更されたのです。当時は大学生の徴兵猶予制度があり、学生は徴兵されずにすみました。最初に入学を四月にしたのは、高等師範学校（のちの東京教育大学の前身）でした。

また同時期に、国の会計年度も四月から三月までと改正されます。国の会計年度の開始が四月となり、大学にとっても四月を新学期にすることは、理にかなったやりかたでした。こうして全国の学校が、四月新学期になっていきました。

中曽根内閣で議論

一九八七年、中曽根内閣の臨教審《りんきょうしん》（臨時教育審議会）においても「秋入学」が検討されました。このときの大きな理由は、国際基準に合わせるためというものでした。日本からの留学生も、日本への留学生も、新学期の時期が違うことは大きな問題です。

この臨教審では議論の末、「秋季入学は大きな意義が認められ、この時期に移行すべきだ」という意見をまとめました。そして、世論の動向などに配慮しながら、準備期間をおいた上で実施するとのことでしたが、その後の議論はなく、いつしか消えてしまいました。

当時、私はＮＨＫの記者として文部省を担当していて、臨教審も取材していました。あるとき、秋への移行に反対する人から「桜が咲くときに入学する、これが日本の伝統だ」という声がありました。すると、九州出身の推進派委員は「何を言っているんだ。九州では四月には桜は散っている」と言います。続くように北海道の委員は「北海道じゃ、まだ咲いてはいない。桜の入学式は、東京中心の考え方だ」と発言。こんなやりとりを思い出します。伝統と言っても、東京中心の発想だったのですね。

伝統と言いながら、以前は九月入学でしたし、温暖化により桜の時期が早まっていく可能性もあるでしょう。

世論調査では意見は半々

二〇一二年、東京大学が「秋入学」への移行を検討するとの発表がありました。これも国際基準に合わせ、海外留学を促しながら海外から優秀な留学生を受け入れやすくしようというねらいでしたが、その後は議論が進んでいません。一方で、九月入学を部分的に認める大学も出始めています。帰国子女や海外からの留学生にも好評なようです。

現在、世界の半数の国で、秋が新学期になっています。四月はほぼ日本だけ。二〇二〇年に行われた日経新聞の世論調査では、秋入学に賛成の意見は五六％で、反対の三二％を上回っています。

しかし、大学の秋入学を実施した場合、高校を卒業して秋までの時間をどうするのか、大学入学共通テストはどうするのか、就職活動にどのような影響があるのかなど、移行に向けては、解決しなければいけない問題が多くあり、時間がかかりそうです。

Q 23 日本の大学の数は多い？

最近、耳慣れない大学の名前をよく耳にします。日本には、どのくらいの大学があるのでしょうか。世界と比べて、大学は多いほうでしょうか。

新自由主義で増える大学

二〇二一年の時点で、日本には七九五校の大学があります。その内訳は、国立大学が八六校、公立大学が九四校、私立大学が六一五校で、全体の八割が私立になっています。これが多いかどうかは、何を基準にするかによって考えも違うでしょうが、近年増え続けていることは確かです。

私が記者として文部省を担当していたころ、つまり中曽根内閣の臨教審があった当時は、大学をつくるには、もしくは短大から大学になるには、非常に厳しい基準を満たす必要がありました。たとえば、キャンパスにする広大な面積の敷地や、何万点もの図書館の蔵書など。つまり容易に大学はつくれなかったんですね。

　これを大きく変えたのが、小泉純一郎首相と竹中平蔵国務大臣のいわゆる小泉竹中路線で行われた「聖域なき構造改革」でした。新自由主義の発想のもと、さまざまな規制を緩和して自由な競争を促進するという方針で、郵政が民営化されたのもこのときでした。これにより、厳しかった大学の設置基準が大きく引き下げられたのでした。

「大学なんて自由につくればいいじゃないか。そこで切磋琢磨してレベルを上げて、子供たちが行きたい大学、親たちが行かせたい大学にすればいい。それでだめなら、つぶれても仕方がない」。そういう発想でした。その結果、大学をつくりたい、短大を大学にしたいというところがどんどん出てきました。

　地方にはかつての洋裁学校から移行した短大が多くありました。経営陣にすれば、短大より大学のほうが聞こえがいいわけですよね。洋裁学校より短大の理事長、短大より大学の理事長のほうが社会的ステータスが高いように思われているのです。こうして多くの短大が大学へと衣替えし、幼稚園だけ運営していた学校法人が大学を新設していくというわけで、大学が爆発的に増えていきました。

つぶれる大学

当時から一八歳人口は減りつつあり、ふつうに考えれば、大学を新設しても定員を確保できるかどうか慎重になるところですが、みんな自分のところは大丈夫だと思ったのでしょうね。その結果、とくに地方の私立大学では定員を満たすことができず、中国などからの留学生でその穴を埋めるような事態が起こっています。さらにはそれも叶わず、経営悪化で新規募集をやめて存続を断念する大学も出ています。

そうなったとしても在校生が卒業するまでは、なんとか続けなくてはなりません。でもそれさえできなくて、近隣の大学に転入させてもらう事態まで起こっています。多くは地方のことなのでなかなか話題になりませんが、教育の問題ですので文科省も対策に乗り出している状況です。

一方で二〇一七年から、「専門職大学」が誕生しました。専門学校の大学化ですね。研究ではなく、より専門的な知識や技術を身につける大学として始まりました。名前は「大学」ですが、実態は専門学校に近いものです。つぶれる大学がある一方で、それでも大学は増え続けているという、奇妙な現象が起こっているのです。

自由に「大学」を名乗れるアメリカ

ヨーロッパを見ると、イギリスには一六二校、フランスには七一校、ドイツには四二八校の大学があります。そのほとんどが国立大学です。もちろん私立大学もありますが、キリスト教系の大学が多く、日本のように大学が増えるようなことは滅多にありません。

韓国は、日本が統治していた時代に持ち込んだ教育制度が基本になっているため、日本に近い状況です。大学は一九九校ありますが、大半は私立大学です。

大学が多いという点では、アメリカが突出しています。その数なんと三〇〇四校。日本の三倍以上です。なぜこうなっているかというと、アメリカではどんな学校でも「大学」と名乗れるからです。ユニバーシティとかカレッジとか名前につけるのは自由なのです。それで三〇〇四校もある。ただし、教育内容が一定のレベルにあるかどうかは保証されていません。インターネットでお金を払えば学位をもらえるという、〝なんちゃって〟大学もあります。

そこで、地域ごとに大学基準協会というものをつくり、加盟する大学が十分な教育レベルにあるかどうかを自主的に互いにチェックしています。新たに基準協会に加盟するには、厳しい審査を受けなければなりません。そしてレベルが同じだからこそ、単位の交換が認められています。

ですから、留学する際は、まずその大学のＷＥＢサイトを見て、候補の大学が大学基準協会に加盟しているかどうかを確認してください。アメリカの大学の学位を持っている、というだけの箔をつけるための留学なら、その限りではありませんが。

大学は国の将来の根幹である

日本もアメリカにならい、大学基準協会が設立されています。ここのホームページを見ると、正会員大学と賛助会員大学のリストがあります。ここに名前のある大学は、さまざまな観点から一定の基準を満たしているか審査を受け、協会の大学評価を得ています。最近できた大学は、基準協会に入っていませんから、他校との単位の交換はできません。

基準協会は定期的に加盟大学のチェックを行っています。その判定結果も、ホームページに掲載されています。どの大学で、過去にどのような所見があったかを見ることができます。中には、教授陣の高齢化が目立ち、改善をはかるように勧告を受けた、というのもあります。

大学は、その国の将来の根幹となる教育機関です。改革が必要なら時間をかけ、検討を重ねた上で行うべきで、簡単に大学ができて消えるようでは、学生がかわいそうです。

図5　大学数の国別比較

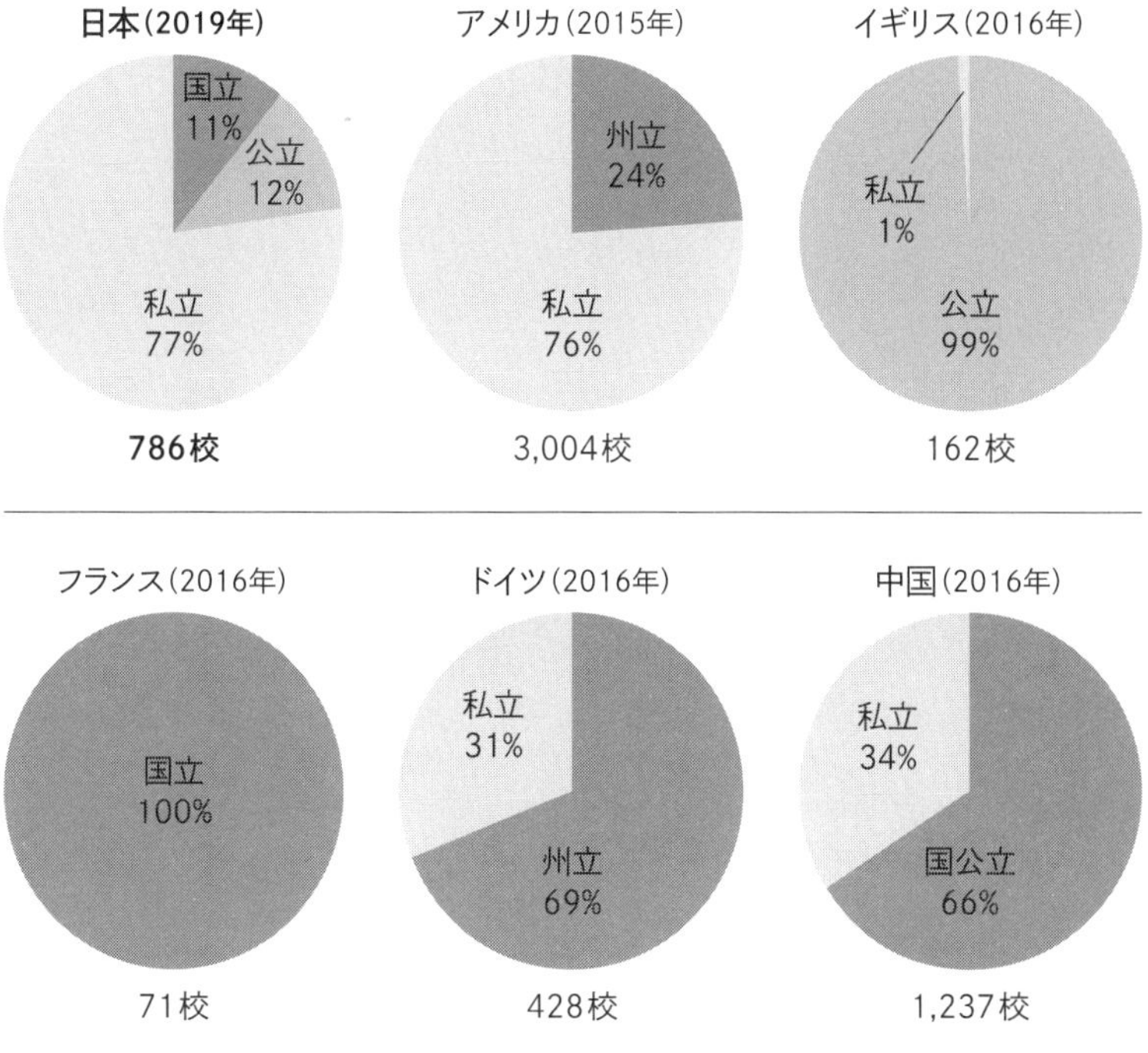

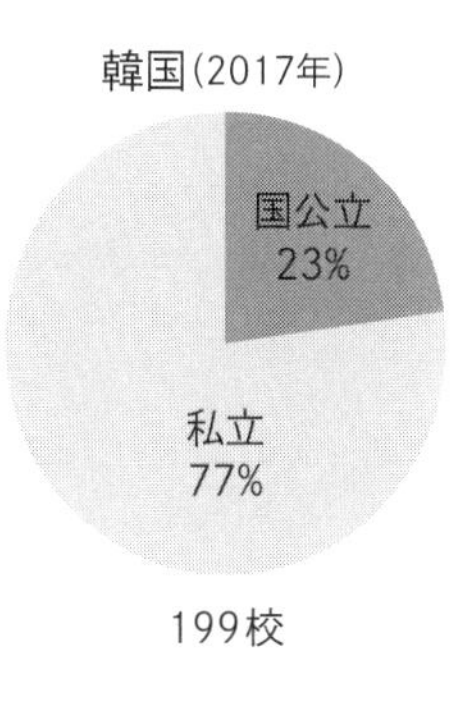

※ ・日本：大学
・アメリカ：総合大学(大学院含む)その他の4年制大学(リベラルアーツカレッジ)
・イギリス：大学・高等教育カレッジ。私立は1校のみ
・フランス：大学。大学は国立機関。大学型私立高等教育機関は存在するが(27校)、学位授与権を持たない
・ドイツ：総合大学・専門大学・教育大学・神学大学・芸術大学
・中国：大学（本科）
・韓国：大学・教育大学

出典・参照：文部科学省「諸外国の教育統計」平成31(2019)年版、「学校基本統計(令和元年度)」を参考に作成

Q24 日本の基礎研究が危ない？

基礎研究がノーベル賞につながると聞きます。しかし現在の日本は、その基礎研究は役に立たないと切り捨てる方向にあるようですが、実際はどうなっているのでしょうか。

基礎研究とは

基礎研究は、自然をはじめとするさまざまな現象を理解したり予測したりするための理論を蓄積していくもので、基本原理を解明しながら真理を探求し、新たな知の発見と創造を目指す研究をいいます。つまり、将来何に役立つのかわからないけれど、未知の領域を研究し探索していくものです。明確な目的があるとは限らない、地道な研究です。

この基礎研究を認め、力を入れてきたのが日本の、とくに国立大学でした。潤沢《じゅんたく》な予算をつけ、実用につながる成果があらわれなくても、長期間の研究を認めていました。「こんなものが何の役に立つんだ」というような研究が、以前はじっくりと腰を落ち着けてできたのです。その結果が、多くのノーベル賞受賞者の輩出につながりました。生理学・医学賞の大隅良典《おおすみよしのり》先生も本庶佑《ほんじょたすく》先生も、三〇年くらい前からの研究が発見を生み、成果が評価になったのです。

研究費はどのようにもらえるか？

二〇〇三年に制定された国立大学法人法により、国立大学は、国によって設置された文部省の機関とされていたものが、国立大学法人が設置する大学へと移行しました。これも新自由主義的な発想で、大学への国からの運営資金は毎年一％ずつ削減されることになりました。現在も、国立大学の予算は減り続けています。成果のあがらない研究が続けられるのは、予算が潤沢にあるというぬるま湯のせいだ。予算が必要なら目的を示しなさい。これが財務省の方針になったのです。それでも先の見えない研究を続けたいなら、自分たちで予算を調達しなさい、と。

運営費自体が削減されますから、その影響は研究にもおよびます。これにより、従来の方法で研究を続けようとすると、たちまち予算が不足します。研究継続のため新たな予算を得るには、科研費の申請が重要になります。

科研費とは科学研究費を略したもので、研究内容から期待できる成果まで詳しく申請書に書き、国によって認められれば予算がつくことになります。この申請には時間と大変な労力を要するのですが、教授も准教授もこういう作業に慣れていません。そのため各大学では、申請書を提出するための講習会などが開かれています。研究の予算を得るために、研究の時間を削るという、本末転倒の事態が起こっているのです。

さらに、科研費には三年や五年という期限が設定されています。つまり、その期限内に成果が見えないと、予算は打ち切られてしまいます。それにともない、准教授や教授の採用も任期つきの大学が多くなっています。定年までの保証がないわけです。

ある研究のために准教授として採用されて科研費も出ることになった。ところが期限内に顕著な成果をあげられそうにない。そこで、焦って数字を書き換えたり、画像に手を加えたりする研究不正が生まれるようになっているのです。

基礎研究をないがしろにしてはいけない

ｉＰＳ細胞を研究した山中伸弥《やまなかしんや》先生は、研究が画期的で短期間の成果でノーベル賞を受賞しましたが、先ほどの大隅先生や本庶先生をはじめ、多くのノーベル賞に至った研究には、膨大な研究期間が費やされています。その地道な時間と努力があったからこそ、癌の治療に役立つなど、思いもよらない結果を生んだのです。

　予算の無駄遣いはするな。短期間で成果を出せ。まるで利益しか重視しない企業のようなことが、日本のさまざまな研究の世界で起こっているのです。一方、中国では、まさに基礎研究に力を入れていて、研究費も人材もふんだんに投入しています。それが二〇年後三〇年後にどうなるか、想像できますよね。

　基礎研究がないがしろにされるような状況に対しては、ノーベル賞受賞者たちも警鐘を鳴らしています。ノーベル賞がすべてとは言いませんが、二〇年から三〇年後には、日本人の受賞者は生まれなくなり、中国人ばかりになる可能性も高いのです。

Q25 日本の英語教育は大丈夫？

小学校五年生から中学校、高等学校と計八年間も「外国語」という教科として英語を学びますが、それだけでは海外で通用するとは言い難い状況だと思います。日本の英語教育は、このままで大丈夫なのでしょうか。

すり替えられる問題

八年間というのは、何かを習得するには結構長い期間ですよね。つまり、それだけの期間、しっかり勉強していれば、英語の基礎は十分身につけているはずです。ただ、日本では日常的に英語を話す機会がほとんどありません。ふだん英語で話す必要がないから、次第に忘れていきます。そこで突然海外旅行に行っても、思うように英語が出てこないのは当たり前のことでしょう。

日本の教育のあり方や方針を決めていくのが、中央教育審議会や教育再生実行会議などの政府の諮問機関です。日本の英語教育に対する懸念の声が出るのは、こうした組織です。

こういう機関のえらい人たちは、国際会議などにも参加しますが、そこでは会議だけでなく親睦会のようなパーティーにも出席しなければなりません。彼らは日本の高等教育を受けていますから、英語もそこそこできるはずです。ところが、パーティーでは、“How do you do?”とか“Nice to meet you.”とかの挨拶はできますが、そのあとの話が続かない。初対面の外国人と何を話していいかわからない。

でもこれは、英語力の問題ではなく、教養の問題です。海外では、大学や国を代表する、あるいは企業を代表するような人は、ほとんどが大変な教養人です。オペラや海外事情について、また文学作品や美術について語ったりするわけです。音楽にしても、歴史でも料理でも、いろいろな事柄について興味を持ち、本を読み、教養を身につけています。

そこに、大学受験に必要な勉強だけしてきた日本人が混じっても、話は続きませんよね。でも彼らはそれに気づかず、話せないことを英語教育のせいにするのです。「義務教育から英語を取り入れているのに、話せないじゃないか。日本の英語教育では、世界で通用しないのでは」となります。いえいえ、話す内容があれば、十分通じますから。

ビジネスでも会議でも、専門の事柄ならブロークンでも何とかなります。でもそれ以外となると、教養の問題ということです。

国語を減らすのは本末転倒

日本の英語教育では世界で通用しない。そんな一部のトラウマから、もっと早くから英語を教えるべきだ、という意見が出はじめ、小学校の授業にも英語が取り入れられるようになっています。でも小学校から英語を学ばせるために何の授業を減らすのですか？　国語ですか？　小学校のころから英語に親しんで、英語に対するハードルを下げることには、それなりに意味はありますが、国語の授業を減らして英語を教えるなんて、それこそ本末転倒ですよね。小学校で英語をちょっと習ったくらいで、英語力がつくわけではありませんから。

まずは日本語。語彙を増やし、表現力をしっかり身につけることが、他の言語を習得する足がかりになるはずです。

たとえば、アメリカで一〇年も過ごした帰国子女は、一見英語がペラペラです。英語ができるからといって、一時期テレビ局は帰国子女を女性アナウンサーとして多く採用しました。これは実際にあった話ですが、あるとき海外からの要人のインタビューが可能になり、某帰国子女のアナウンサーがインタビュアーに抜擢《ばってき》されました。英語ができるんだから、行ってこいと。ところがインタビュー終了後、その外国人が「何であの人は、小学生のような英語を話すんだ」と言ったそうです。語彙《ごい》力もなければ表現力も乏《とぼ》しく、教養があるように見えない。なぜそんな人物にインタビューをさせるんだ、と憤慨《ふんがい》の様子だったそうです。

つまり流暢《りゅうちょう》に話しているように見えても、帰国子女の英語は、そのままでは子供の英語なのです。社会では通用しません。ですから、まずは日本語をしっかりと身につけること。それができてからの英語教育で十分使えるはずです。多少発音が悪くても、ブロークンイングリッシュでも、話す中身があれば、コミュニケーションは成立しますから。

第4章
女性

Q26 日本の専業主婦は多い？

海外と比べて日本の専業主婦は多い方でしょうか。家事分担が広がっていかないことに、専業主婦の存在は影響していますか。

サラリーマンと共に増えた

確かに日本の専業主婦率は高いですね。近年、共働き世帯が増え、専業主婦は減少していますが、それでも世界の国々と比較すると、その割合はまだまだ高い状態です。

そもそも日本で専業主婦が目立つようになったのは、第二次世界大戦後のことです。以前は、農家も商売をしている家も、妻は夫と一緒に働いていましたから。それが高度経済成長期に入り、サラリーマンが一気に増えます。会社勤めの夫は、働けば働くほど給料が上がります。モーレツ社員という言葉が誕生するほどで、残業も休日出勤も普通のこと。朝から晩まで、ひたすら働く。で、その間の家事や育児は誰がするのかということになると、妻がやるしかなかったわけです。そうやってマイホーム、マイカーを手に入れ、子供たちを進学させるのが当たり前の風潮になっていったのです。早朝から深夜まで働いて、クタクタになって帰ってくれば、家事なんかできないですよね。

これはどの先進国にも言える状況です。

中途半端に働くより配偶者控除の方が有利？

日本の専業主婦の割合が増えた理由のひとつに、配偶者控除があります。配偶者がいると、本人の収入から一定金額を控除し、その部分の税金を減らしてあげますという仕組みです。自民党の保守的な人たちの考えにもとづくもので、女性は家庭を守り、その女性を扶養するのであれば、税金を減らしてあげましょうというわけです。

最近は夫の収入により、控除の対象額が増やされてきましたが、以前は一〇三万円でした。

つまり、主婦に一〇三万円を超える収入があると、控除は認められませんでした。

さらに専業主婦は、年金も三号保険者として、夫の年金に組み入れられています。保険料を払っていないのに、専業主婦は入っていたとみなされ、年金が支給されます。

結果的に、こういう仕組みで専業主婦は経済的に優遇され、中途半端に働くよりは、家にいた方がマシだと考えられるようになりました。

女性の高学歴化で変化

一九八〇年あたりでは、結婚した女性の六五%くらいが専業主婦でしたが、二〇二〇年では三三%ほどになっています。専業主婦率は、ここ数十年、下がり続けています。

この大きな要因は、女性の高学歴化にあると言えるでしょう。私が大学を受験したのは一九六九年です。当時は四年制の大学に行くと女性は就職できないと言われていました。教師になるなら四年制大学でなければ資格が取れませんから別ですが、そうでないなら短大に行けといわれた時代でした。同級生で成績が良い女生徒たちも、多くが短大に進学しました。

さらには、高学歴の女性は、結婚がむずかしいとさえ言われていました。私がNHKにいた時代、ある女性アナウンサーは東京大学の出身でしたが、東大に合格が決まり、家族も喜んでくれると思っていたら、おばあちゃんがお母さんを叱っていたそうです。「東大なんか行かせたら、結婚できないじゃないか」と。もちろん彼女は結婚しましたけれど、お相手も東京大学出身者でした。

女性は短大に行き、安定企業に就職して事務とお茶汲みをやり、優秀な社員と結婚して寿退職。そして専業主婦に収まるのが理想と思われた時代があったのです。

地方が働きやすい？

「海外には有能な女性社員がいる」「結婚しても辞めないで働き続けている女性がいる」、そういう現実が徐々に日本にも持ち込まれ、女性の社会進出という言葉も生まれました。少しずつではありますが、社会が変化したことで、社会で働くことを望む女性の機会が増えていったのです。

私が取材した中で、専業主婦が多いと感じたのは、イタリアでした。学校でも、大半の母親が、車で子供の送り迎えをしていました。地域によっても差はあるでしょうが、日本ではなかなか見られない光景でした。反対に、専業主婦がほとんどいないのが、スウェーデンですね。数字でみても、一割に達しません。

日本でも地域により、共働きの割合は違っています。県別でみますと、最も共働き率が高いのが福井県。ついで山形県、富山県、石川県となっています。いずれも日本海沿岸ですね。逆に共働き率が低いのは、奈良県、大阪府、兵庫県、北海道の順です（二〇一七年）。

　これには子供を預けられる環境も関係してきます。日本海沿岸の地方では祖父母と同居している家庭が多く、女性は子供を祖父母に預けて働きに出やすい環境にあります。一方、都会では核家族が多く、保育所がないと子供を預けることができません。保育園の待機児童は減っているとはいえ、まだまだ十分に環境が整っているわけではありません。中には、子育て中だけ実家の母親に来てもらって子供を預ける女性もいるようです。核家族を形成する確率が高いので、幼い子供をおばあちゃんやおじいちゃんに見てもらうこともできにくくなっています。

労働力が必要

　第二次安倍政権は、「女性活躍社会」を謳《うた》いました。女性活躍推進法を成立させ、男女共同参画局も設立しました。もちろん女性の社会進出が遅れていることを認めたとも言えますが、その背景には労働力人口減少への危機感があります。

　労働力人口とは一五歳以上六四歳までの働きたいと思い、働ける人の人口を言います。この年齢層が減少しているのは明らかですよね。日本の労働力は、このままでは減少の一途をたどるはずです。海外であれば、労働力不足は移民で補いますが、日本ではそれだけの移民を認め

図6　都道府県別夫婦共働き世帯の割合（2017年）

順位	都道府県	割合（%）	順位	都道府県	割合（%）
1	福井県	60.0	25	沖縄県	50.6
2	山形県	57.9	26	茨城県	50.3
3	富山県	57.1	27	鹿児島県	50.2
4	石川県	56.1	28	岡山県	49.8
5	長野県	55.9	29	長崎県	49.7
6	島根県	55.5	30	広島県	49.4
7	鳥取県	54.9	31	香川県	49.3
8	新潟県	54.7	32	徳島県	49.2
9	山梨県	54.1	33	東京都	49.1
10	岐阜県	53.8	34	宮城県	48.8
10	佐賀県	53.8	35	愛媛県	48.1
12	岩手県	53.7	36	大分県	48.0
13	静岡県	53.1	37	和歌山県	47.3
14	熊本県	52.6	38	京都府	46.8
15	宮崎県	52.1	39	福岡県	46.6
16	福島県	52.0	40	埼玉県	46.5
17	青森県	51.5	41	神奈川県	46.3
17	滋賀県	51.5	42	山口県	45.9
19	秋田県	51.4	43	千葉県	45.4
20	高知県	51.3	44	北海道	44.5
21	栃木県	51.2	44	兵庫県	44.5
22	群馬県	51.1	46	大阪府	44.0
23	愛知県	50.9	47	奈良県	42.0
23	三重県	50.9	全国平均		48.8

出典・参照：「平成29年就業構造基本調査」総務省統計局を参考に作成

※「夫婦のみの世帯」、「夫婦と親から成る世帯」、「夫婦と子供から成る世帯」及び「夫婦、子供と親から成る世帯」のうち、夫婦共に有業の世帯（夫婦共働き世帯）の割合

ていません。そこで、専業主婦や専業主婦を希望する人たちに社会に出て働いてもらい、税金を納めてもらおう、ということなのです。さらには、二〇二五年からはすべての企業で、定年が六五歳に延長されることになります。これも労働力不足を補いながら、税金を少しでも多く納めてもらおうという政府の思惑なのです。

一方で、厚生労働省の意識調査では「夫がしっかり働けるようにサポートするのが妻の役目」という意見を支持する女性が三〇％にものぼり、ＯＥＣＤの調査では「将来専業主婦を希望する」という一五歳女子の割合も日本が上位になっています。

女性のさらなる活躍は望まれていて、それに応える社会の改革も必要ですが、一方で専業主婦が多かった親たちの生活スタイルを否定するのは難しく、意識が変わっていくのには時間がかかるということでしょうか。

Q27 女性の国会議員はなぜ少ない?

日本では、海外に比べても女性の国会議員が少ないようです。どのようにしたら、女性の国会議員が増えるのでしょうか。

圧倒的に低い女性議員の割合

一九四五年に女性参政権が認められ、翌年の衆議院総選挙では三九名の女性が当選して初の女性国会議員になっています。このときの女性の割合は八・四%でした。翌年の参議院選挙では一〇名が当選。割合は四・〇%でした。

では、この女性の割合は、現在どうなっているのでしょうか。二〇二〇年の段階で、衆議院では九・九%で、参議院では二二・九%です。これは、世界の中でも著しく低い割合です。

世界各国の議員たちでつくる列国議会同盟（ＩＰＵ）によりますと、世界各国の議会で女性議員が占める割合は全体で二五・五％ですが、加盟している一九三か国中、日本は一六六位で、上昇の気配はありません。

さらに日本の女性議員を政党別にみると、立憲民主党、公明党、日本共産党、国民民主党などはのきなみ二〇％を超えていますが、最大与党の自民党は一一・三％にとどまっています。「女性が活躍できる社会」を謳いながら、政府の母体である自民党がこれでは、先が思いやられます。

池上私案

ちなみに女性国会議員の比率が最も高い国はルワンダで、六一・三％、二位がキューバ、三位がアラブ首長国連邦（ＵＡＥ）でいずれも五割を超えています。ただし、ＵＡＥの議員は総数四〇人に過ぎず、その半分は首長による任命ですから、あまり比較の対象にはならないでしょう。

しかし、どの国も、昔から女性議員が多くいたわけではありません。日本同様、政治は男の世界でした。

例えばノルウェーの女性議員の割合は現在四一％が女性ですが、クオータ制度を導入して女性の比率を高めてきました。クオータ制度とは、候補者あるいは議員の一定数を女性にするという方法で、これを強制的に行って女性議員の数を増やしていったのです。

日本においても、このクオータ制度を導入すべきだという意見もありますが、議論は一向に進んでいません。

これは私の案なのですが、候補者を立てる段階で、各政党は女性を半数以上にする、それができなければ、政党助成金をカットするというのは、どうでしょうか。あくまでも候補者ですから、当選するかどうかは有権者にゆだねられます。ただ、現在の自民党のように候補者の段階で女性が圧倒的に少なければ、女性議員が増えるはずはありません。努力目標ではなく、この程度までしないと、女性議員は増えていかないと思いますね。

チャンスがなかった

「地位が人をつくる」という言葉があります。実力は未知数でもその地位につけば、責任を感じ、力を発揮します。往々にして、地位は人を育てるのです。

女性の国会議員が少ないのは、女性にその機会が与えられてこなかったというだけの話です。

二〇二一年、東京オリンピック・パラリンピック競技大会組織委員会の森喜朗会長が、日本オリンピック委員会（ＪＯＣ）臨時評議員会で女性蔑視ととられるような発言をし、会長の座を退きました。「女性がたくさん入っている理事会は時間がかかる」と言ったのですが、このときの彼の発言時間は四〇分でした。彼の時間とは、何なのでしょうか。しかも彼は、女性蔑視と責められてもピンときていないようでした。

国の審議会などでは、クオータ制度を導入しているところもあり、女性が増えつつあります。まだまだ欧米には及びませんが、企業でも女性の管理職は珍しい存在ではなくなっています。しかし、国の最高機関である国会がこのような状態で、改善の意思も見えないようでは、国が女性蔑視をしていると世界から見られても仕方がありません。

Q28 出産が保険適用外なのはなぜ？

出産でも保険がきく国があるという話を聞きます。日本ではなぜ保険の適用外なのでしょうか。また無痛分娩が一般化しないのはなぜでしょう。

病気ではない

これは単純な話。出産は病気ではないからです。日本の保険は医療保険ですから、病気以外のものには適用されません。妊娠も出産も、病気ではありませんから、保険がきかないのです。ただし帝王切開《ていおうせっかい》など、縫合《ほうごう》が必要になったりすると、保険が適用されます。

出産と同様に、交通事故の怪我でも基本的には保険は適用されませんよね。これは損害保険の範疇《はんちゅう》で、医療保険は使えません。

その代わりとして、出産のときには企業や自治体から「お祝い金」という名の補助金があったりするわけですね。

ただ、現在は、少子化対策の一環として、保険適用が認められない代わりに、「出産育児一時金」が給付されるようになっています。

痛みに耐えてこその愛情？

フランスでは八割以上、アメリカでも七割以上と、欧米では一般化している無痛分娩《むつうぶんべん》ですが、日本ではまだ六％ほどだと言われています。

無痛分娩は、母体にかかる痛みやストレスが少なく、産後回復も早いので、入院期間が短くなります。その一方で麻酔科医がかかわる必要があり、それも日本で拡大しない要因になっています。小規模の医院では麻酔科医を常駐させることが困難で、そのため日本の産婦人科医院のおよそ三割でしか無痛分娩を行うことができません。麻酔を打つ行為だけでなく、緊急時の対応のためにも、専門医が必要なのです。さらには費用の問題もあります。これも医療保険の適用外ですから、自費負担になります。

そしてもう一つ、「自分のお腹を痛めて産んだ子供」という意識が日本人にはあるのではないでしょうか。「痛みに耐えて愛情がわく」、そういう古い意識がどこかにあり、姑《しゅうとめ》に遠慮して無痛分娩をあきらめる場合もあると聞きます。

Q29 日本は母親の負担が大きい？

子供は三歳までは母親が育てるべき、という「三歳児神話」が日本にはあります。海外でもこういう意見はあるのでしょうか。家事の分担も、明らかに女性が多い気がします。海外ではどうなのでしょうか。

三歳児神話

一九五〇年代の初め、イギリスの精神医学者であるジョン・ボウルビィは、ＷＨＯの要請を受け、孤児院などで幼児の発育の遅れが多いことを調査し、分析しました。その結果「母性的な養育が失われたことが大きな原因である」と報告しました。

これは、「三歳までは母親が育児に専念すべきで、そうしないと発達が遅れる」と言っているわけではありません。しかし、当時の日本は高度経済成長期。専業主婦が激増した時代で、この三歳児神話が受け入れられやすかったのだと思います。その結果、保育園に預けられる乳幼児に対して、「こんなに小さいのに他人に預けられてかわいそう」という意識も生まれるようになりました。

ＩＳＳＰという国際比較調査グループがあります。そこでの調査では、「就学前の子供がいる家庭では、母親は家にいるべきである」と答えたのは日本が圧倒的で七割近くにもなっています。ちなみに、アメリカは約三〇％、北欧の各国はのきなみ一〇％台です。もし三歳児神話が事実なら、北欧の子供たちは大いに発達が遅れていることになりますよね。

もちろん、三歳までの脳の発達は著《いちじる》しく、その間の精神的な支えになる存在は不可欠ですし、母親が適任であることは否定できません。しかし、その精神的な支えは父親でも祖父母でも保育所の保育士でも可能なはずです。日本にある「三歳児神話」が女性の就労を妨げていることも事実ですし、それに頼る男性の意識も日本の「ジェンダーの平等の実現」を遅らせているものと思われます。

三年休めます、と言われても……

二〇一三年、当時の安倍政権は、働く女性のための手厚い支援として、男女ともに育児休暇を三年取れるよう企業に財政支援する方針を表明しました。キャッチフレーズは「三年間抱っこし放題」。これに対し、働く女性からは猛反発がありました。三年も休んだら、戻った時には新人と同じで、同じ職種につけるかどうかもわからない、というわけです。三年間育児に専念できても、元の職場や役職を企業が空けて待っているという保証はどこにもありません。しかも休暇中の給付金は、休暇に入る前の賃金が元になるため、不公平感も拭《ぬぐ》えません。

待機児童を減らし、働く女性を支援すると言いながら、実情を把握しないまま「三歳児神話」に頼って賛同を得ようとする政策に、どれだけ実効性があるのか疑問です。

さらには、夫の育児休暇にも不満のある女性は多いようです。夫が育休を取ったはいいが、ただ家にいるだけで何も手伝ってくれない。家事も育児もできず、かえって負担が増えた、という現実もあるようです。

最近では若い人たちの意識も変わり、過去に比べれば男性の家事や育児の参加も増えているようには見えます。少しずつではありますが。しかし、意識の変化に伴った社会の変化が必要であるにもかかわらず、その速度は鈍いままです。

少子化対策を講じる必要があるなら、はたして現在、安心して子供を産み、安心して育てられる環境にあるのかを考える必要があります。女性の家庭内での負担を減らし、女性の労働力

図7　6歳未満の子を持つ妻・夫の家事・育児関連時間　国際比較（1日当たり・2018年）

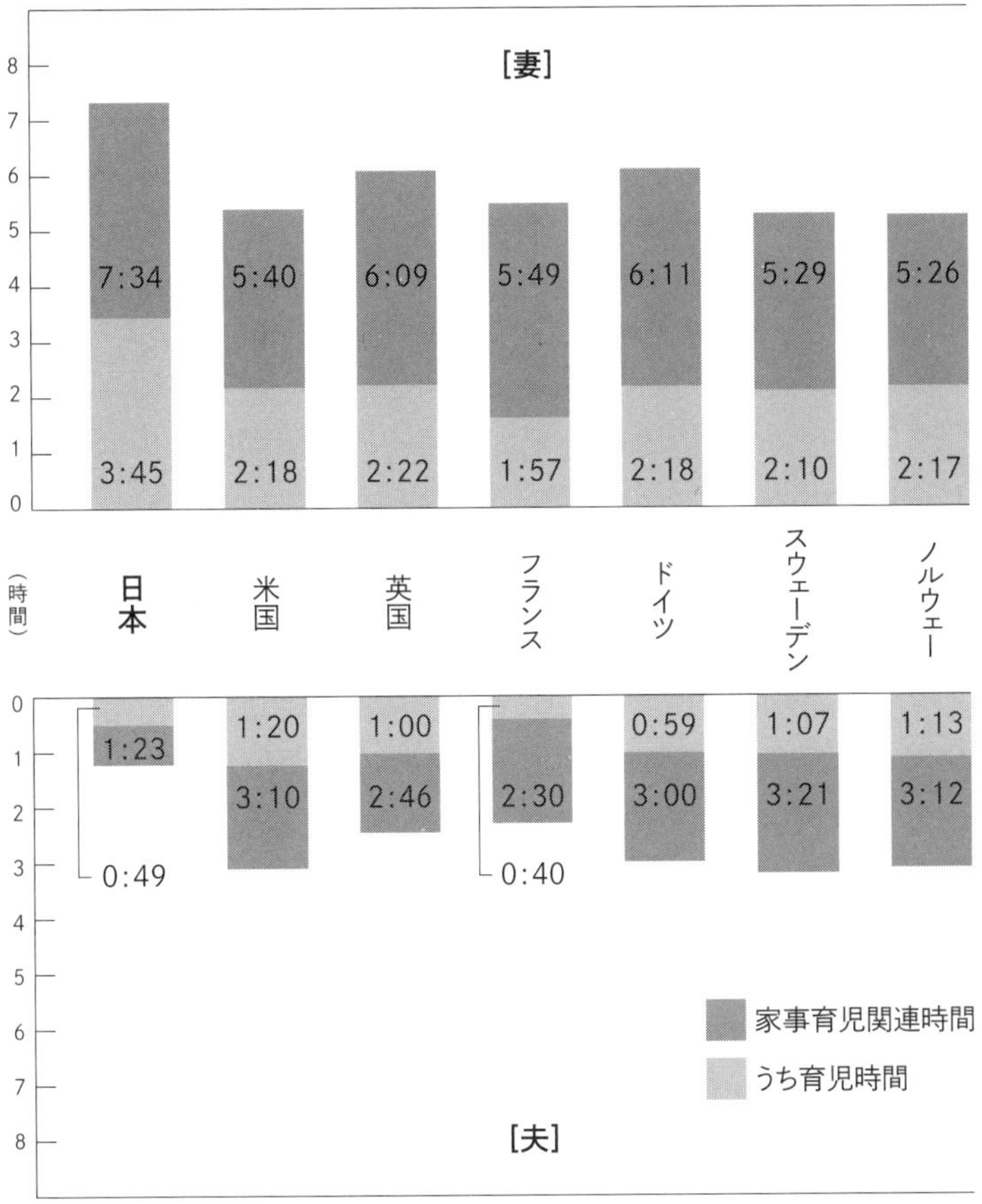

出典・参照：内閣府 男女共同参画局「男女共同参画白書」2018年を参考に作成

（備考）

1.Eurostat "How Europeans Spend Their Time Everyday Life of Women and Men" (2004、) Bureau of Labor Statistics of the U.S."American Time Use Survey"(2016)及び総務省「社会生活基本調査」（2016年）より作成

2.日本の数値は、「夫婦と子供の世帯」に限定した妻・夫の1日当たりの「家事」「介護・看護」「育児」及び「買い物」の合計時間（週全体平均）

を求めるなら、企業も巻き込んだ議論が必要になってきます。古い意識のままの政治家たちに任せっぱなしでは、進まない問題なのです。

第5章
働く

Q30 一斉就活は日本だけ？

大学生も三年を迎えるころになると「就活」という言葉が飛び交うようになります。三月に卒業して四月に一斉に就職するのは、日本だけでしょうか。

「あなたの職業は？」

相手の職業をたずねる場合、ヨーロッパやアメリカなどで「お仕事は何をされていますか？」と聞きます。すると相手は、「エンジニアです」「コンピュータプログラマーです」「雑誌の編集者です」というふうに、職種で答えてくれます。

ところが日本ではどうでしょう。多くの場合、何をしているかではなく、どこに所属しているかを聞きますよね。「どちらにお勤めですか？」と聞き、「○○という会社です」などと答えます。さらには「ご職業は？」に対して「会社員」と答えることが多いですよね。われわれ日本人にとって、このやり取りに違和感はありませんが、海外ではとても奇妙に映ります。

海外では、まず職種を答え、その次に企業名になるのですが、日本では逆です。これが何を示しているかというと、日本は就職ではなく「就社」が優先されているということです。

就職か就社か

新卒の一斉入社（一括採用）が始まったのは、第一次世界大戦の大戦景気のあたりです。好景気に沸く企業が大量の労働者を必要としたことから、三月の卒業を待って優秀な人材をすぐに入社させるようになり、これが次第に定着しました。さらには高度経済成長期の人材不足の際には、大学在学中に「内定」を出す「青田《あおた》買い」など、新卒の獲得競争が激化しました。これは世界でもほとんど例を見ないシステムで、それゆえに「就職」ではなく「就社」になっているのです。

企業からすれば、ほとんどスキルのない学生を「優秀そうである」という理由で採用しますから、実際に現場で働いてもらうためには、それなりの研修が必要になってきます。その間に能力を見きわめ、配属を決めることになります。つまり、入社してから社員教育をし、一人前に育つまで、会社は新人に投資していることになります。

一方の新入社員は、研修や社員教育の間に、同期と連帯を深め、愛社精神をはぐくんでいきます。「企業が社員を育て、社員が企業に応える」という図式ができあがります。ですから、日本の企業では、転勤も単身赴任も当たり前。多少の嫌なことにも我慢して働けば昇給しますし、定年まで勤めれば退職金もあります。

私が勤めたＮＨＫの場合は、職種別採用でした。記者（含むカメラマン）、ディレクター、アナウンサー、事務、技術の五つの職種があり、それぞれの希望者から採用を決めていました。ですから、特別な事情がなければ、採用された職種で働き続けることができます。しかし民放では、アナウンサー以外は一括採用が普通でしたから、記者だった人が突然営業職に配置転換されることも、日常的にあります。理系などの専門職は、その道で学んできた人材を必要としますから、職種で採用することが多くなりますが、全般的にみれば、やはり日本は、就社のタイプが圧倒的に高い割合を占めているようです。

海外ではポスト採用

日本のような一斉入社がない海外では、どのような採用を行っているのでしょうか。

基本的には、空いたポストに対して、または増やすポストに対して募集をかけ、採用試験を行います。これは、社外からの採用だけでなく、社内でも同じです。つまり一般的な海外の企業では、いったん採用された職にとどまる限り、昇進も昇給も見込めません。いくら社歴や経験があっても、上のポストが空いたときにそのポストに応募して認められなければステップアップはできないのです。

たとえば国連も、正規の職員はそれぞれのポストが空くたびに採用試験を行っています。「課長職に空きが出たので募集します」という発表があると、職員も応募し、認められれば昇進することになります。

そうなると、学生たちも、どの企業に入るかより、どんな職業を選ぶかを重視し、そのための勉強をすることになります。海外の大学には、「就職課」などはありません。大学が学生の就職相談に乗ったり、大学間で就職率を競ったりするようなこともありませんから。

でもこれでは、卒業してもすぐには就職しなかったり、あるいはできなかったりします。その就職までの間の期間をギャップイヤーと呼んでいます。アルバイトをしながら就職に必要な勉強を続けたり、海外に出かけて見聞を広めたりする学生も多くいます。

インターンシップ

近年ではインターンシップが、就活の一部になりつつあるようです。いわゆる企業見学とアルバイトを兼ねたようなもので、その期間に企業は、学生たちの事業への理解や適性を見きわめようとしています。ただこれも、「青田買い」の一種になっている企業が増え、就活を複雑にしているとも言えます。

海外にもインターンシップはありますが、日本とは異なっています。基本的に新卒採用はないわけですから、職場体験的なインターンシップは行われません。それでも、優秀な学生がいる場合、インターンとしてスキルを確かめ、採用に至るケースがあります。学生側も優秀ですから、インターンとして働いても自分に合わなければ断ることもあります。たとえがいいかわかりませんが、結婚する前に一度同棲してみて、うまくいくようなら結婚しましょう、というようなものですね。日本とは大きく違っています。

ちなみにアメリカのオバマ元大統領は、シカゴの名だたる法律事務所にインターンで入り、そのときの教育係が、後のファーストレディーとなるミシェル夫人でした。

日本は低学歴社会？

日本では大学四年間のうちの一年くらいのエネルギーを就活にそそぐわけで、これは世界から見ればきわめて特殊な状況です。そのためか、日本は、低学歴社会になりつつあります。技術系では日本でも修士課程を修了している人は多くいますが、アメリカなどではその先の博士課程が当たり前。大企業の経営者の多くはドクターの称号を持っています。文系においても日本では、修士まで出ていると、「頭でっかちだ」と敬遠されました。最近では留学さえ就活に差し障るという話も聞きます。

就職のために学業がおろそかになり、さらには学問をきわめたり教養を高めたりすることさえ支障になるようでは、本末転倒と言わざるを得ません。こうした観点からも、幾度か是正を試みる考えは出ましたが、企業の姿勢が変わらないかぎり、大きな変化は期待できない状態です。大学で何を学んできたかを採用の基準にするべきなのでしょうが、企業側が「どうせ勉強していないのなら、向き不向きだけを見て、あとは研修で何とかする」というようでは、学生も勉強に力が入りませんよね。

以前、韓国で就職活動を取材したことがあります。大変な状況でした。韓国のエリートといえば、「サムスン」や「ヒュンダイ」に代表される財閥系企業の社員。それに次ぐのが公務員です。それらを目指す学生は、大学に入学すると同時に、就職予備校に通い始めます。大学の授業が終われば、予備校に行き、深夜までひたすら勉強です。

私が取材したのは、消防士の予備校だったのですが、とにかく公務員になれればと、学生たちは必死でした。過酷な受験戦争を勝ち抜いて大学に入ったかと思えば、すぐに就職試験戦争が待ち構えているのです。

Q31 日本人は長時間労働？

サービス残業などがあった過去に比べれば、労働時間は短縮されてきましたが、それでも残業が当たり前の会社があり、長期休暇を取りにくい企業もあります。世界と比べると、まだ労働時間は多いのでしょうか。

残業を認めるための三六《さぶろく》協定

二〇二一年のＯＥＣＤのデータによりますと、日本人の一年間の労働時間は一五九八時間で二四位になっています。トップはコロンビアの二一七二時間で、二位はメキシコ、三位はコスタリカです。ちなみにアメリカもロシアも日本より上位にあり、これだけを見ると日本人の労働時間は決して多い方ではないということもできます。

しかしこの数字にはアルバイトなどのパートタイマーも含まれていて、それらを除くと、日本人のフルタイムの平均労働時間はずっと増えることになります。近年、労働時間の短縮が求められ、法律も改正されて全体的には残業時間も減っていますが、それでも日本人の労働時間は世界と比較しても多いというのが現状です。

日本の労働基準法では、雇用者が従業員を働かせることができるのは、一日八時間、一週四〇時間までと決められています。これに違反すると、使用者には厳しい刑罰が科せられます。しかし実際には、これを大きく超えて働いています。その理由は、三六協定というものがあるからです。

三六協定とは労働基準法第三六条のこと。会社と労働組合が話し合って協定を結べば、時間外労働をさせることができるという取り決めです。労働組合のないところでは、従業員の代表者が会社側と話し、協定を結びます。

つまり、大半の企業では労使間でこの三六協定を結んでいるため、残業をさせること、あるいは残業をすることができるのです。二〇一八年に改正された労働基準法では、時間外労働の最大時間は年七二〇時間以内とされています。また休日労働を認めることもできますが、その場合、時間外労働と休日労働の合計が月一〇〇時間未満とされ、さらにその合計の二〜六か月平均は、月八〇時間以内とされています。

時間は関係ないホワイトカラーエグゼンプション

労働時間に関する意識は国によってまちまちです。たとえばドイツでは、残業というものをほとんどしません。基本は九時に会社に行き、五時に会社を出ます。ドイツでは、残業をするのは時間内に仕事を終えられないことであり、仕事ができない人間だと見られてしまいます。もちろん緊急事態などでの残業はありますが、基本的には時間外労働はしません。

アメリカにおいても残業がないのが一般的で、工場などで働く人はみな定時に家に帰ります。ただ、一部のホワイトカラーはまったく別です。アメリカにはホワイトカラーエグゼンプションという制度があり、労働法に定められた労働時間規制の免除がホワイトカラーには認められています。つまり彼らは、労働時間ではなく成果を評価されるので、時間に関係なく働きます。交通渋滞を避けるために朝六時には出社し、時には深夜まででも働きます。でも残業という概念はありません。あくまでも成果を上げることが最大の目的ですから、休日出勤も当たり前。そうやって出世街道を進んでいくのです。

ホワイトカラーエグゼンプション制度は、第一次安倍政権のときに導入が検討されましたが、働き過ぎを助長し、過労死の危険性も高まると批判があり、見送られました。その後、働き方改革法で二〇一九年から高度プロフェッショナル制度と名称を変えて導入されています。しかし、長時間労働の懸念はぬぐえず、成果に対する評価も難しいことから、アメリカのように広く採用されてはいないのが現実です。

あってもなくても困るのが残業

また長期休暇についても、なかなか取りにくいのが日本の現状です。ドイツやフランスなどヨーロッパの大半の国では、夏休みは一か月が当たり前。アメリカも同様で、毎年の有給休暇をしっかり消化します。休暇は労働者に認められた権利ですから、それを行使するのは当たり前というわけです。ところが日本では、ひたすら空気を読んで、周囲を見ながらの休暇申請。いくら有給があるからといって一か月も休もうものなら、「戻ってきたときには机はないよ」と言われそうですよね。

三六協定もあり、日本人の長時間労働は長く改善されないままでした。しかし、過労死や過労による事故が起こるたびに問題になり、ようやく見直されるようになっています。働き方改革により、積極的に残業を減らす企業も増えています。

しかし、業種や職種によっては、残業や休日出勤がないと仕事をこなせないところもありま

図8　世界の労働時間 国別ランキング・推移〈OECD〉(2021年)

順位	国名	単位：時間(h)/年
1	コロンビア	2,172※
2	メキシコ	2,124
3	コスタリカ	1,913
4	韓国	1,908
5	ロシア	1,874
6	クロアチア	1,834
7	マルタ	1,827
8	チリ	1,825
9	ルーマニア	1,795
10	イスラエル	1,783
11	米国	1,767
12	ポーランド	1,766
13	アイルランド	1,746
14	ニュージーランド	1,739
15	ギリシャ	1,728
16	チェコ	1,705
17	キプロス	1,698
18	オーストラリア	1,683
19	ハンガリー	1,660
20	エストニア	1,654
21	カナダ	1,644
22	ポルトガル	1,613
23	ブルガリア	1,605
24	**日本**	**1,598**
25	リトアニア	1,595
26	スペイン	1,577
26	ラトビア	1,577
28	スロバキア	1,572
29	イタリア	1,559
30	フィンランド	1,531

出典・参照：OECD(Organisation for Economic Co-operation and Development)を参考に作成

※ コロンビアは2020年のデータ、ロシアはOECD平均

す。一方で、残業が当たり前の時代に残業代が生活費の一部になってしまい、残業がなくなると生活が苦しくなる世帯も増えています。

Q32 日本の非正規雇用は多い？

非正規雇用の問題がニュースでよく取り上げられます。日本はどのように非正規雇用が広がっていったのでしょうか。

失業率は下がり、平均給与も下がる

非正規雇用とは、正規雇用でないことです。当たり前の定義ですね。では、正規雇用とは何をいうのか。まず企業に直接雇用されていること。そして雇用の期限が限られていないこと。さらにはフルタイムの雇用であること。この三つがそろって正規雇用になります。逆に、どれかを満たしていなければ、非正規雇用です。

一九八四年の日本の非正規雇用は全体の一五・三％でしたが、一九八九年は一九・一％、二〇〇八年には三四・一％になり、二〇一七年は三七・二％にまで増えています。

増加し始めたのは小泉・竹中路線の規制緩和で、さまざまな職種に派遣労働が広がったからです。第二次安倍政権でも、この現象は進みました。これにより、失業率は下がりましたが、その一方で平均給与も下がっています。

さらには働き方改革によって「同一労働同一賃金」が規定され、非正規雇用はますます増える傾向にあります。「正規雇用の労働者に近い給与水準を保障するから非正規でいいだろう」、というわけです。日本には「年功」という慣習があり、正規雇用であれば同じ仕事をしていても年数を重ねれば給料が上がります。同一労働同一賃金は、正規非正規にかかわらず、同じ仕事なら同じ給料にしましょう、という規定ですから、企業とすれば、年齢とともに給料が上がっていく正規社員より非正規社員の方がいいということになりますよね。

この同一労働同一賃金は、大企業では二〇二〇年四月から、中小企業でも二〇二一年四月から適用されています。

格差をどうなくしていくのか

失業率が下がることは、国にとっても国民にとっても望ましい状況です。しかし、そのために平均給与が下がっては、規制緩和が功《こう》を奏《そう》しているとはいえません。

そもそも、非正規雇用の拡大でメリットがあるのは、企業です。最低賃金で採用できる上、経営が厳しくなれば解雇することも容易です。やがて業績が上向き、労働者が必要になれば、また非正規で雇えばいいのですから。

その一方で、非正規を望む人たちもいます。日本の税制には扶養控除があり、扶養者は税金の控除を受けながら、一定の枠の中で収入を得ることが認められています。Q26（152ページ）でも触れた、いわゆる主婦のパートですね。パートタイムで働いている多くの専業主婦は、扶養控除の限度内で働いていて、正規雇用を望んでいない現実もあります。

働き方改革による「同一労働同一賃金」の規定は、それまで大きかった賃金格差を是正することにはなるでしょうが、非正規雇用の根本的な不安定さを解消することにはなりません。非正規は有限雇用ですから、いつ解雇されるかわかりません。そのような状態では、家などの不動産を購入するための長期のローンを組むこともできません。結婚や子供を持つことに関しても、将来的な不安がつきまといます。

つまり、非正規労働者が増えるにつれて平均賃金は下がり、社会的に不安定な状態が続くことになります。労働人口が確実に減少している中、非正規雇用でも安心して生活できるような国や企業の対策がさらに必要になっています。

Q33 テレワークは増えていく？

新型コロナウイルスの感染防止対策で、リモートでの会議や在宅勤務が増えました。日本の労働形態は、これを機に変わっていくのでしょうか。

テレワークで本社移転も

新型コロナウイルスの感染拡大により、世界的に人の移動が制限されました。それにともない、多くの企業がテレワーク（リモートワークあるいは在宅勤務）を導入しました。テレワークが可能な大手企業では、出社率を三割近くまで下げているところもあります。その結果、テレワークでもそれまでと同様の業務ができるのであれば、フロアを縮小してコストも下げてしまおうという企業も出ています。たとえば電通やリクルートなどがそうですよね。リクルートは東京の銀座にある本社ビルを売却し、電通も汐留の本社ビルの売却決定を発表しました。

ただし、テレワークができる業種や職種は限られています。電気やガス、水道などのライフラインにかかわるようなエッセンシャルワーカーは、リモートで仕事はできません。

新型コロナの感染が拡大した際、アメリカのマンハッタンでは、オフィスに勤める労働者はテレワークが可能で、多くの人が在宅勤務に切り替えました。しかし、清掃業務や工事の現場、ビルの管理、食品の配送といったリモートではできない仕事についている人たちは、それまでと変わらずに満員の地下鉄に乗って出勤し、感染が広がりました。

余談ですが、アメリカやヨーロッパでいう電車の満員は、日本のそれとは違っています。日本のように、ぎゅうぎゅう詰めになるのではなく、立っている人同士の身体が接触するかしないかくらいの状態を満員と呼びます。以前、中東のドバイに取材に行ったとき、ショッピングセンターのエレベーターにスタッフ数人が乗り込もうとすると、すでに乗っていた人たちにものすごい形相で「ノー」と追い出されました。数人が乗れるスペースは十分にあり、日本では誰もが乗るであろう状況だったのですが、身体が触れそうになると、彼らにとっては満員。「ノー」なのですね。

テレワークのデメリット

新型コロナの際にテレワークで業務に支障がなかったからといって、これがそのままの割合で浸透するかというと、そうはいかないでしょう。

元々在宅で働いていた人たちはいたでしょうが、大半はフルタイムで出社していたはずです。そういう人たちは、同僚と顔を合わせながら働いていたはずです。だから、リモート会議もスムーズに運びます。つまり、これまでの仕事のやり方がわかっている人たちは、三分の一の出社でも問題はないのです。他の人がどう動いて、どんな準備をしているかもわかっていますから。

ところが、かわいそうなのは新入社員です。仕事の進め方も把握できず、まして社員の顔も覚えていないうちにテレワークと言われても、戸惑うことの方が多いはずです。

ドイツの企業では、テレワーク導入率が四〇％近くになっていると言われていますが、フルタイムでのテレワークはほとんどないようです。つまり、基本は出社で、たまに自宅でできることがあればテレワークで働く、というスタイルになっています。その理由はコミュニケーションのためだそうです。いくらテレワークでできるからといっても、社員のコミュニケーションが成り立っていなければ、仕事は進まないということでしょう。アメリカのアップルも新型コロナの感染拡大でテレワークが進んでいましたが、同様の理由で、二〇二一年の九月から、週三日以上の出社を社員に要請しています。

アメリカのホワイトカラーの中では、以前からテレワークは取り入れられていますが、こちらは「ジョブ型採用」が多く、フルタイムのテレワーク率は高くなっています。ジョブ型というのは、業務内容や報酬があらかじめ決められていて、一定期間内に求められる業務をこなす雇用形態です。チームでというより個人で取り組む内容が多く、会社に行かなくてもできるわけですよね。

日本でも「ジョブ型」の導入を考える企業が増えてきています。企業にしてみれば、ジョブ型社員は一定の職務を専門的にこなし、さらにはテレワーク率も上がるので会社のスペースの縮小にもつながります。雇われる側からみれば、通勤が減り、時間を有効に使うことができます。

しかし、長期的にみれば、コミュニケーションの低下で効率が悪くなったり、報酬が上がらなかったり、さらには突然そのポストがなくなったりする可能性もあります。

テレワークは、すべての業種や職種で行えるわけではありません。しかし二〇二〇年からの新型コロナ蔓延により、可能なところではテレワークが浸透していきました。こんなこともテレワークでできるじゃないか、という発見もあったことでしょう。ただしそれは一時的なことであって、効率優先でテレワーク率が上がっていくのは危険なことかもしれません。

第6章
経済

Q34 アベノミクスは成功した?

安倍政権が打ち出した経済政策「アベノミクス」は、結果的にどのようなものをもたらしたのでしょうか。成功だったと言えるのでしょうか。

三本の矢

アメリカのレーガン大統領政権下で打ち出された経済政策、「レーガノミクス」にあやかって名付けられたアベノミクスは、安倍政権における政策の目玉でした。

大胆な金融政策、機動的な財政政策、民間投資を喚起する成長戦略、この三つを三本の矢として掲げ、デフレからの脱却と富の拡大を目指しました。評価できるところもありますが、うまくいっていない点や評価が定まらないところもあります。それぞれの矢を見てみましょう。

第一の矢である「大胆な金融政策」。そもそも日銀（日本銀行）は独立した機関であり、政府に従うわけではありませんが、黒田《くろだ》東彦《はるひこ》日銀総裁は、アベノミクスに協力する形で金融緩和を行いました。日銀総裁による強力な金融緩和策は、黒田バズーカとも呼ばれました。バズーカとはバズーカ砲。対戦車砲のことで、それだけ威力があるという意味です。

これによりゼロ金利、あるいはマイナス金利の状態が続いています。この金融緩和によって、金余り現象が起こります。金余り現象は過剰流動性とも呼ばれ、通貨の供給量が需要を上回ることをいいます。こうなると、例えば、アメリカのドルの量より日本の円の量が、これまでより相対的に多くなります。すると需要と供給の関係から円安になります。つまり、金融緩和で金利が下がれば円の価値が下がり、円安になるということです。

円安は、輸出産業に利益をもたらします。その意味でアベノミクスは輸出産業に大きなメリットを生みました。さらに金余り現象は、日経平均株価の上昇にもつながりました。株を持っていた多くの人は、利益を上げたはずです。

しかしこれを逆に見ると、円の価値は下がっていますから、日本の賃金も下がっていることになります。支払われる給料の額面は変わっていなくても、ドルを基準にすれば、円安が進むだけ日本の給料は下がるのです。日本人は同じだけ働いて同じ給料が支払われているのに、世界的には貧しくなってしまった、とも言えるのです。

金融緩和は日本の輸出産業を後押しし、株を持っている人たちに利益をもたらしました。その一方で上がらないままの賃金は、世界から見れば価値が下がっていったということです。

規制緩和を阻む既得権益

第二の矢は「機動的な財政政策」でした。大規模な経済対策のための予算をつけ、政府が積極的に需要を創出するという計画でした。それが何を意味するか。単純に公共事業を増やしたということです。新たに高速道路や橋を建設し、それにかかわる産業は潤うことになりました。とりわけ東日本大震災の復興事業に多額の資金が注ぎ込まれ、関連産業は潤いました。しかし、政府の需要の創出は限定的で、結果的に財政赤字はますます深刻な状態になりました。

そして第三の矢が「民間投資を喚起する成長戦略」。これが全くできなかったと言えるでしょう。ただこれは、進めるのが困難だったという点から、評価が難しいところでもあります。

さまざまな規制緩和をしようとすると、緩和以前に既得権益を持っている団体や企業があり、それを突破しなければなりません。国や国民のためになる発展のための規制緩和でも、既得権益にしがみつくものはそれをつぶしにかかり、先に進めないことが多くあります。

例えば東日本大震災の後、再生可能エネルギーが注目され、太陽光発電も積極的に行われるようになりました。ところが、これに電力会社が協力しません。全国の送電網は電力会社が所有しています。つまり電力会社以外の企業が電力をつくっても、この送電線を使わなければ、どこにも電力を送ることができません。せっかく将来を見据えた再生可能なエネルギーを生み出しても、それを送るために莫大な送電線使用料を要求されたりします。

また、電力会社は他企業の電力を買うといいながら、自社の発電量をベースに、それが不足した場合には買うという状態なので、自社の電力が不足しないとなかなか買い取ってはくれません。例えば二〇二〇年、九州では再生可能エネルギーの太陽光発電が大幅に増えました。ところが地元の九州電力は、水力、火力、原子力という従来の発電で供給が十分間に合ったので、太陽光発電の電力を買うこともなく、発電を休んでくれとまで言ったのです。自社の発電を抑え、再生可能エネルギーを取り入れようという姿勢は見えませんでした。

このように既得権益を守ろうとする企業や団体はどこにでもあり、その結果、規制緩和が進まない現状もあるのです。

国や政府の政策を単純に「成功か、失敗か」とはなかなか言えません。しかし、国民が評価しそうなところは前面に押し出しておきながら、評価を得られないところは忘れてしまうのでは、前進はありません。それに慣らされてしまっている国民にも責任はあるのですが。

政策の公正な評価、そして公正な公表があってこその国の将来ではないでしょうか。

Q35 日本の消費税、一〇%でいいの?

二〇一九年、消費税が一〇%に引き上げられましたが、増税分の二%がどう使われているのか、また将来的にどうなっていくのかも見えません。このままでも大丈夫なのでしょうか。それともまだ上がるのでしょうか。

安定のための直接税

国家の収入は、基本的に税収しかありません。その税金は、直接税と間接税に分けられます。所得税や法人税は直接税。消費税が間接税です。

景気がいいときには、企業が儲かり、働く人の給料も上がります。そうすると、法人税も所得税も増えます。ところが不景気になると、その逆で、国の税収は減っていきます。法人税を引き上げる方法もありますが、やり過ぎてしまうと企業は法人税の安い国へ逃げてしまいます。シンガポールのように法人税をうんと安くして企業を誘致している国もありますから、やたらに上げると、そういう国に出ていかれてしまいます。つまり直接税は、景気に左右されるところがあり、不安定なのです。

一方で消費税は、比較的景気に影響されにくい税収です。景気が良くないときに高額な買い物はしないかもしれませんが、日常の消費はやめることができないからです。

所得税の増収は望めない、法人税は上げられないとなると、財政赤字を埋めていくには消費税を上げるしかない、という構造になっているのです。

現状維持には二〇～二六％

日本に消費税が導入されたのは一九八九年。税率は三％でした。当時を覚えている人もいるでしょう。「生活を直撃する悪税だ」などと反対運動もあちこちで起こり、テレビや新聞で連日報道されました。その後も反発を受けながら、一九九七年に五％、二〇一四年に八％と段階的に引き上げられてきました。

この間、国民の消費税に対する感覚はしだいに変わってきました。当初はひたすら反対する人が多かった状況から、現在では消費税は当たり前のことだと思えるようになったのですから。

消費税率が上がり、その分は児童手当や年金の基礎年金部分に使われているのですが、国からの説明も不足しているし、あえて知ろうともしない人が多いのが日本人の悪いところでしょうか。実際には消費税が上がったことによって支えられている部分もあるのですが、それがどこなのかよく分からない。結局は不足した財源を補うために税率を上げているようなものなので、生活の上で充実した実感がないのは当然かもしれませんね。

ＯＥＣＤによる試算では、日本が現在の社会保障を継続していくためには、消費税は二〇～二六％にしなければならないそうです。つまり、さらに充実させるためでなく、現状を維持するだけでもあと一〇％以上必要だということです。

教育目標は？

デンマークは医療も教育も無償の国で、消費税は二五％です。正確には付加価値税ですが、軽減税率といった優遇税制もありません。スーパーマーケットで生活必需品を買っても二五％の付加価値税がつきます。

取材でデンマークに行き、街頭インタビューをしたとき、「付加価値税が高いと思いませんか？」という問いに、誰一人「高い」とは言いませんでした。みんな「当然です」と答えます。つまり、高い付加価値税があるために、医療も教育も無料になっている実感があるんですね。さらに言えば、大学生には毎月約八万円の小遣いが国から出ます。教育費が無料な上に、大学生になれば月約八万円の小遣い。つまり、アルバイトなどせずに、しっかり勉強に専念しなさいという国の姿勢が見えます。だから学生もよく勉強し、政治にも熱心です。

学生に「選挙に行きますか？」と聞いたら、「当たり前でしょう」という答えでした。選挙の夜は、ピザとビールを持ち寄り、テレビの選挙特番を見て盛り上がるのだそうです。

国民が高い税金を払い、その使い道を決めるのが政治家であるなら、選挙にも強い関心を持って変な人物を代表にしないようにという空気があります。

一方の国会議員もそうした有権者が多いことを知っていますから、代表であることに誇りを持っています。コペンハーゲンの国会議事堂には、巨大な駐輪場があります。これは国会議員のため。議員たちはみんな自転車で議事堂にやってくるのです。黒塗りの車で送り迎えなどというのは首相くらいのものですから、日本とは大違いです。

そして日本と最も違うところといえば、情報公開です。税金が何に使われているか、どこにどれだけの金額が使われているかなど、すべてオープンになっています。情報公開がきちんとなされていれば、日本のように「無駄遣いされているのでは？」という疑念を生むこともないはずです。

図9　世界の消費税の標準税率～国際比較のグラフ（2020年）

国名	税率（%）
台湾	5%
カナダ	5%
シンガポール	7%
タイ	7%
スイス	7.7%
オーストラリア	10%
インドネシア	10%
ベトナム	10%
日本	**10%**
韓国	10%
フィリピン	12%
中国	13%
ニュージーランド	15%
メキシコ	16%
イスラエル	16%
トルコ	18%
チリ	19%
ドイツ	19%
フランス	20%
イギリス	20%
オランダ	21%
スペイン	21%
イタリア	22%
ポルトガル	23%
フィンランド	24%
ギリシャ	24%
デンマーク	25%
スウェーデン	25%
ノルウェー	25%
ハンガリー	27%

出典・参照：付加価値税率（標準税率及び食料品に対する適用税率）の国際比較
（財務省 2020年1月現在）を参考に作成

フィンランドもデンマークと同様に消費税が高く二四％で、医療も教育も無償です。そんなフィンランドである教育関係者がこう言いました。「フィンランドの教育目標は、良き納税者を育てることだ」と。

つまり、教育に力を入れてしっかりした社会人に育てれば彼らは就職できます。その人たちが働いてきちんと税金を納めてくる。だから国が回っていく。明確ですよね。日本の教育目標には、「真理と正義を愛し、個人の価値をたっとび」などとありますが、目的として判然としません。この差が大きいといえるでしょう。

意識の問題

とはいえ、北欧の各国も消費税が導入されたときから高税率だったわけではありません。教育や福祉に備えつつ、段階的に引き上げられていきました。では、今後の日本に、同じようなことが可能なのでしょうか。

これは国民の意識次第だと思います。

例えば保育園をつくるにしても、「うるさくなるから」と周辺住民から反対の意見が出る。総理大臣を経験した麻生財務大臣でさえ、「たらたら飲んで、食べて、何もしない人（患者）

の分の金（医療費）を何で私が払うんだ」と言っていたくらいです。「うちの子は大学に行っていないのに、なんでよその子の大学費用まで払わなくてはならないのか」という声が出ても不思議ではありませんね。

大学までのすべての教育を無償にし、家庭の経済状態に関係なく意欲のある学生に教育を受けさせる。その学生たちがやがて就職して税金を納めることで、結果的に国の財政状態が良くなる。こういう発想ができるかどうかにかかっているといえます。

医療費にしても同様です。日本では基本的に自由に医者が選べ、どこに行っても薬を出してもらえます。薬や注射もなしで終わったら、不安になる人さえいます。でも医療費が無償の北欧などでは、薬を出してもらえないのは珍しいことではありません。医療制度のところでも述べましたが、まずかかりつけ医の診療を受け、専門的な治療が必要なら別の医療施設を紹介してもらえます。つまり、かかりつけ医は治療をあまりしません。「風邪ですね。しばらく寝ていれば治りますよ」「筋肉痛ですね。患部を使わないように安静にしていてください」というわけです。もちろん治療が必要な患者には応急処置もほどこしますが、基本は安心させて家に帰すか、専門病院を紹介するかなので薬の処方はありません。これが、国家の医療費を大きく抑えています。

税に対する意識も、国によって大きく違います。例えば脱税です。ヨーロッパでは脱税は大罪ですからとてつもなく重い刑罰が科されます。それに比べれば、日本はまだ甘い。国の財政がどうあれ、できるなら税金は低いほうがと考える人が多く、減税の公約が選挙に影響を与えたりします。

フィリピンでは、国民の四〇%が「脱税に関して何とも思わない」という調査もあります。国家財政が破綻しそうになったギリシャもそうでした。「レシートを受け取らないなら値引きする」というやり方が横行していました。レシートが必要なければレジに打ち込む必要がなく、それだけ売り上げを減らせます。つまり、税金を払わなくて済むわけですね。その結果が財政危機。ユーロ危機以降、ギリシャにはドイツの税務署員が派遣され、徹底的な脱税の取り締まりを行いました。

以前中国に行ったときのこと。レストランでもちょっとした買い物でも、レシートに宝くじの番号がありました。あれも脱税対策だったのです。消費者は宝くじがあるので、できるだけレシートをもらおうとします。そうなると店側もレジに打ち込まざるを得ず、結果、脱税がしにくくなるというわけです。

安心して暮らすための消費税

国民の幸福度は、社会不安の少なさに比例します。デンマークやフィンランドなどの北欧の国では、日本に比べて、圧倒的に社会不安が少なくなっています。教育費は無料ですから子供の学費の心配をしなくてもいいわけです。日本では老後の医療費にも備えなければなりませんが、医療費が無料であれば、それも必要ありません。年金も十分に支払われるとなれば、預貯金も最低限でいいわけですよね。つまり、人生における社会不安を減らし、安心して暮らすために高額な消費税を選んだとも言えるのです。

子供の教育、日常の暮らし、老後の医療と福祉。こういったことに不安のないのが、デンマークやフィンランドなどの北欧の国々で、彼らはそのために高額な消費税を選び、それらがどう使われているかをつねに監視する義務を負っているのです。

日本の財政赤字や今後の税収の見込みを考えても、消費税がずっと一〇%のままで大丈夫だとは思えません。今後、どういう目的で消費税を上げるのか。増税によって何が変わっていくのか。政治家も国民も、目先のことだけにとらわれず、議論を進めていく必要があります。

Q36　日本の食料自給率は、このままで大丈夫？

日本の食料自給率は四〇％を切っているといわれ、今後ＴＰＰ（環太平洋経済連携協定）などの影響で、さらに安い食料が海外から入ってくることも考えられます。なぜこういう状況になっているのでしょうか。

なぜカロリーベースなのか

二〇一九年の農水省の発表によりますと、日本の食料自給率は三八％で、ここ数年は同様の数字で推移しています。ただしこの数字はカロリーベースによるもので、生産額ベースでの数字は六六％になります。

カロリーベースというのは、国民に供給される熱量（カロリー）に対する国内生産の割合です。これには飼料まで含まれるため、輸入された飼料で家畜を育てればこの数字は下がっていきます。例えば鶏卵はほぼ一〇〇%国内で生産されていますが、飼料を含めたカロリーベースでは一〇%にも満たない数字になります。

一方の生産額ベースはその名の通り、金額に換算して出されるもので、日本の食料は値段が高いですから割合も高くなっていきます。

食料自給率をカロリーベースで公表するのは世界でもまれで、日本以外では韓国や台湾があります。では、なぜ日本はカロリーベースを指標にしているのか。ここに政府や農水省のねらいが見えます。

国は国民に低い数字を示すことで危機感をあおり、農業のさらなる振興が必要だと訴えているのです。つまりさまざまな農業政策を推し進め、予算を計上するために国民の理解を得ようとしているのです。自給率は高いほうがいいに決まっていますが、「本当のところは？」と聞いても、政府に都合のいい数字しか出てこないのです。

進まない農業改革

第二次世界大戦後、農地解放が行われて大地主から小作農に土地が渡りました。それまでの小作農は、いくら働いても地主に吸い上げられるばかりでしたが、農地を所有するようになり、がぜん労働意欲が湧いてきます。劇的に営農意欲が湧き、そこから日本の食料不足は解消されていきました。戦前は飢餓を経験したような地域でも自営農が増え、国の干拓事業なども後押しして食料事情は急激に改善されていきました。

ところが、勢いのままに米を作り過ぎ、コメ余りになってしまいます。国が農家からコメを買い上げ、それより安く販売するといった奇妙なことになり、さらには減反政策でコメを作らない農地に補助金を出すようにもなりました。

農地解放で自営農が一気に増え、営農意欲も上がって戦後の食料不足は解消されましたが、それぞれの農家が所有する農地は狭く、生産性が高くなっていかないのが現状です。農地を集約し、大規模な経営によってコストを下げ、国内農業の地力をつけることをしなければならなかったはずですが、それがなかなか進まなかったのです。

コストが下がらない別の理由に、農協の存在があげられます。自営農が増えた当初、個々の生産者の立場は弱く、それを一つにまとめて売るパワーを持とうとしたのが農業協同組合でした。農協は弱かった生産者の意見をまとめ、政治と関わりを持つようになります。これが選挙の票につながるとなれば議員たちも無視はできません。結果的に余剰生産のコメの値段まで引き上げるという形で、農協は政治力を発揮するようになりました。

さらに農協は、農機具や肥料などを独占的に組合員に販売します。ほかで安いものが買えても、組合員は農協から購入することを勧められ、それが生産コストを下げる妨げにもなりました。本来なら農家や農業の将来を考えるはずの農協が、農業の改革を阻害する状態になっている部分も出てきたのです。

しかし選挙になりますと、彼らは一致団結して自民党を応援します。実は農業パワーというより、農協パワーなんですね。

農家も高齢化が進み、平均年齢は六〇代も後半になっています。兼業農家を除いた専業農家の数より、農協の職員のほうが多い地域も増えています。かつては新しい技術の普及のために農協から派遣されていた農業指導員ですが、高齢化した専業農家は何十年も農業に携わっているプロですから、若い指導員が農家に教わるという不思議な現象さえ起こっています。

農協パワーによって国会に送り込まれた議員たちは、農協や農家を無視することはできません。大規模な農業改革を打ち出せないまま、それでも現在の構造を維持していくために、「食料自給率が低いので積極的な農業政策が必要だ」と国民に訴えて予算確保に努めているのが実情です。

カロリーベースでの食料自給率が世界標準ではないといっても、生産額ベースでさえ七〇%足らずですから、日本の食料自給率が低いことに変わりはありません。農業においても漁業においても高齢化が進み、後継者不足は解消されないままです。それでも、流通を変え、新たな農業に挑戦する若者も少しずつですが増えています。旧態依然とした構造を維持するための政策ではなく、若い人たちの労働意欲を喚起するような環境整備が先決で、そうした試みによる農業や漁業の地力強化こそ食料自給率を上げる結果につながるのではないでしょうか。

Q 37 日本はなぜデモが少ない？

海外のニュースを見ると、デモの映像がしょっちゅう流れてきます。日本でも過去にはデモがよく行われていたそうですが、どうして減ってしまったのでしょうか。

成功体験のない日本

デモとはデモンストレーションを略したもので、意思や主張を集団で公に示す行動です。代表的なものとしてデモ行進があげられます。

一九六〇年の安保闘争は、日米安全保障条約に反対する労働者や学生を中心とするデモで、最盛期は連日三〇万人を超える参加者が国会議事堂を取り巻く大規模なものでした。七〇年安保も同様に、日米安保反対やさまざまな改革を求めてデモが行われました。

また一九五五年に始まった春闘（春季賃上げ闘争）も活発なデモ活動でした。労働組合による賃金の引き上げや待遇改善を求める全国的な運動で、ときにはストライキもともない、鉄道が止まってしまうこともよくありましたが、最近では形骸化しています。

日本でのデモ活動が衰えていった大きな理由として、成功体験のなさがあげられるでしょう。安保闘争にしても、安保条約を破棄させることはできませんでした。あれだけの人間が訴えたにもかかわらず、大きな変化はなかったわけです。敗北感が広がり、やがて諦めにつながっていきました。

例えば韓国ですと、一九八七年の民主化運動では、軍事独裁体制に反対する大学生たちのデモに高校生や一般市民が加わり、全国的な広がりになりました。その結果、軍事政権は民主化を約束します。民衆の意思表示によって何かを変えた成功体験があるから、現在も活発にデモが行われているのです。

アメリカでも、一九五〇年代から六〇年代にかけて、キング牧師らによる公民権運動が盛んになり、ジョンソン大統領のもとで一九六四年に公民権法を成立させ、黒人の地位向上につながった経験があります。それがブラック・ライブズ・マターの運動へと続いています。

フランスでは、何かにつけフランス革命の成功体験がでてきます。民衆が立ち上がったからこそ「自由・平等・博愛」を勝ち取ったのだと。イギリスも、名誉革命をはじめとするさまざまな革命で国王の権力を削いできた自負があります。さらにはフィリピンも、ピープルパワーでマルコスの独裁政権を倒しています。

成功体験がある国とそうでない国ではデモに対する意識に差があり、日本では徒労と感じる人も多く、デモが広がりにくい状態になっています。

労組幹部は出世コース

春闘などのデモは、企業に対して賃上げや労働条件の改善を求めるもので、政府の政策に反対したり主義主張を訴えたりする一般のデモとは多少意味が違ってきます。しかし日本では、こちらのデモもかつての勢いを失っています。

その原因は、労働組合の弱体化にあります。そもそもヨーロッパやアメリカの労働組合は職能別労働組合で、企業別ではありません。アメリカですと、フォードやＧＭ（ゼネラルモーターズ）などの自動車会社ごとに労働組合があるのではなく、自動車産業全体の労働組合になっています。だから、企業を超えて雇用者側に要求をし、ときには一斉のストライキも可能になります。

日本では、トヨタ自動車、日産自動車、本田技研工業など、それぞれに労働組合があります。例えばそのうちの一社の労組がストライキをして生産が止まってしまうと、消費者は他社に流れる可能性があります。賃上げを要求しても、そのせいで会社の利益が減少してしまえば、要求は通らなくなってしまいます。結局は会社の打撃にならないような行動にとどまり、物分かりのいい労働組合になってしまうのです。

さらにいうと、賃金やボーナスの引き上げを求めて労働組合は経営側と団体交渉を行います。このとき経営側は、「うちの経営状態はこうなっています。だからボーナスは我慢してください」などと説明します。その結果、労働組合幹部は会社の経営状態を熟知するようになり、やがて組合幹部を降りると経営側の幹部として出世することもしばしば起こります。日本の名だたる大企業の経営陣には、元労働組合の委員長や書記長がけっこういますよ。

各企業の労働組合が個別に交渉しないような欧米型を目指したのが、ナショナル・センターと呼ばれる労働組合の全国中央組織でした。企業別労働組合の弱点を補うために、さまざまな業界でナショナル・センターが存在していました。かつては国鉄の労働組合と私鉄総連（私鉄の労組）が一緒になって春闘を戦い、一斉ストを行って要求を通したりしていたのです。

しかし労組の幹部が出世コースとなるような企業では、しだいに労働組合は、物分かりのいい組織になってしまいます。とりわけ会社の御用組合になっているのが銀行です。銀行では労働組合とは呼ばず、従業員組合という名称になっています。従業員組合の役員は出世コースですから、会社と戦うはずがありませんよね。

それでもデモは何かを変える

日本にはデモの成功体験がないとは言いましたが、少なからず何かを動かしたという意味においては、いくつも事例があります。

一九五八年、当時の岸信介《きしのぶすけ》内閣は、安保条約改正の前に、警察がデモや集会の取り締まりをしやすいよう、警察官職務執行法の改正案を国会に提出しました。令状なしの身体検査を可能にするなど、警察の権限を一気に強化するもので、国民はかつての戦前の高圧的な「オイコラ警察」を思い起こしました。当時の大衆雑誌『週刊明星』は「デートも邪魔する警職法」というタイトルで改正に反対する特集を組みます。夜デートをしていると「おい、こら、何をやっているんだ」と警察がやってくる。警察の権限が強化されれば、そんなことも起こってしまいますよ、ということでした。

改正反対の勢いは全国に広がりました。職場や街頭での抗議行動には四〇〇万人が参加し、政府はついに改正を断念したのです。

最近では、二〇二〇年に「#検察庁法改正案の強行採決に反対します」というハッシュタグによるツイッター上での抗議行動がありましたね。この検察庁法改正案は、検察官の定年の引き上げや、役職定年の導入、さらには定年を迎えても内閣や法務大臣が認めれば定年前の役職を維持できるという内容でした。

当時の東京高等検察庁の黒川弘務《くろかわひろむ》検事長は「安倍政権に近い」といわれ、その定年を内閣が従来の法解釈を無視して延長したことに非難の声が上がっていました。その非難に対する後付けのような法改正であったため、さらなる反発を招いていました。

ツイッターの「#検察庁法改正案の強行採決に反対します」では、著名人の意見が多く書き込まれ、トレンドの一位までになりました。最終的には黒川検事長の賭けマージャンを『週刊文春』が暴こうとしていることが判明し、政府は慌てて改正案を撤回することにしたのですが、ネットデモとも言える非難の盛り上がりを政権が無視できなかったことも事実です。

みんなが「おかしい」と声を上げ、身勝手な政権の法改正を止めることができたのは一種の成功体験です。今後、ネットでのデモや抗議行動はますます増えていくことでしょう。

第7章
グローバル

Q38 輸入牛肉は安全？

最近スーパーマーケットなどで、輸入牛肉の割合が増えてきたような気がします。国産の牛肉に比べてたしかに安価なのですが、はたしてどれだけ安全なのでしょうか。

六割は輸入牛

トランプ政権でアメリカはTPP（環太平洋経済連携協定）から離脱し、各国と独自の貿易協定を結んでいます。日本とは、二〇二〇年に日米貿易協定が発効になりました。

これにより従来は三八・五％だったアメリカ産牛肉の関税率は、TPPとほぼ同率の二五・八％に引き下げられました。さらには段階的に下げられていき、二〇三三年には、九％にまでになる予定です。

もともと生産コストの低いアメリカ産牛肉ですが、さらに関税が低く抑えられれば、その輸入量が増えるのは必至です。

二〇二〇年の段階で、日本で流通している牛肉は、国内で生産されているものが四割弱で、約六割が輸入牛になっています。日本への輸出国は、オーストラリアがトップで、わずかの差でアメリカ。この二か国で消費量の半分を占めています。

「六割も輸入牛を食べてはいない」とおっしゃる方もいるかもしれません。ですが、レトルトなどの加工食品やレストランなどの外食店では、「国産牛」の表示がなければ、そのほとんどが輸入牛だと思ってください。スーパーや精肉店で「国産牛しか買わない」という人でも、知らず知らずのうちに、輸入牛を消費しているのです。

解明されていない肥育《ひいく》ホルモン剤の影響

輸入牛の安全性が問題視されるのは、海外では肥育ホルモン剤の使用が認められているからです。肥育ホルモン剤には、本来牛が持っているホルモンを利用した天然型ホルモン剤と、化学的に合成した合成型ホルモン剤の二種類があります。いずれも飼料にまぜて投与する物質で、牛の成長を促進し、さらに赤身をふやす効果があります。

成長を早められれば、出荷までの飼育時間を短縮することが可能になり、農家にも消費者にも経済的に大きなメリットをもたらします。日本では肥育ホルモン剤の使用を認めていませんが、アメリカだけでなく、オーストラリアやカナダなどでも、投与が認められています。

一方で、この肥育ホルモン剤が牛肉に残留した場合、発がんのリスクを高めるといった研究も発表されています。これを理由に、ＥＵ（当時はＥＣ）は一九八八年に、肥育ホルモン剤の使用を禁止し、翌年からは使用した牛肉の輸入を原則禁止しています。

これに対してアメリカとカナダは、ＷＴＯ（世界貿易機関）に提訴するという経済紛争にまで発展しました。結局はアメリカ側の主張が認められたのですが、その後も議論が継続され、ＥＵは輸入の禁止を解いていません。

食品の国際基準であるコーデックス（ＣＯＤＥＸ）を作成する機関にコーデックス委員会（ＣＡＣ）というものがあります。国際連合食糧農業機関（ＦＡＯ）と世界保健機関（ＷＨＯ）が一九六三年に設立した政府間組織で、一八〇か国以上が加盟しています。

このコーデックス委員会は、さまざまな肥育ホルモン剤の残留基準値を定め、これを守って使用すれば、人体への影響はないとしています。日本もコーデックス委員会の見解に従い、肥育ホルモン剤を使用した牛肉の輸入を許可しているのです。でも、輸入を許可しながら、国内での使用を認めていないのは、なぜでしょうか。

つまり、成長ホルモンは、もともと動物が持っているもので、人間は自然に摂取しています。それが後天的に投与された結果が、どの程度の残留値で人体にどんな影響を与えるかは、まだ解明されていないというのが現状なのです。

アメリカに抵抗できない

近年アメリカでは「ホルモンフリー」と表示された牛肉が販売されるようになっています。肥育ホルモン剤を使用しないで育てた牛の肉のことです。表示のないものに比べて価格が三〜四割ほど高いのですが、経済的に余裕のある人や健康志向の強い人たちに選ばれています。また「ホルモンフリー」肉を使用する高級レストランも富裕層に人気だそうです。

ＷＴＯまで巻き込んだＥＵとアメリカの経済紛争ですが、二〇〇九年、ホルモンフリー牛肉を無関税枠で、ＥＵが四万五〇〇〇トンを輸入することで合意しています。

こうして見ると、日本はアメリカの圧力に弱いことがわかります。日本国内で禁止されているものを、なぜ輸入できるのか、という素朴な疑問に論理的に答えられないのです。

そのアメリカも、ＥＵ向けにはホルモンフリーの牛肉を輸出しています。なんだか差別されている気になりませんか。ＥＵは、アメリカの圧力に負けることなく、断固たる態度を貫いた結果、アメリカ側がＥＵに折れてきた、という見方もできますね。日本の政治は、誰のために行われているのか、と言いたくなります。

Q39 なぜ日本は難民を受け入れない？

日本は難民認定が厳しいといわれ、国際社会からも法律を見直すよう求められていると聞きます。また、入管施設に収容されていたスリランカの女性が、点滴などを受けられず死亡した報道もありました。どういう状態なのでしょうか。

低い難民認定率

難民とは、自国での迫害から逃れるために海外に出た人のことで、難民が基本的人権を享受できるように保護することを定めたのが難民条約です。

難民条約は一九五一年に採択《さいたく》された「難民の地位に関する条約」と、一九六七年に採択された「難民の地位に関する議定書」で成り立ち、日本は一九八一年に加入しています。

日本では、難民申請をして難民として認められると、五年間の在留資格が与えられ、生活保障害や定住支援、就労支援などを受けることができます。さらに必要な要件を満たせば、永住の許可を得ることも可能になります。しかし実際には、難民に認定されることが非常に難しく、二〇一九年は一万三七五人の申請に対して四四人の認定でした。つまりわずか〇・四％しか認められていません。二〇二〇年はコロナ禍で入国が制限されたため、申請は大幅に減りましたが、認定数は四七人にとどまっています。

二〇一〇年には、難民申請の六か月後から手続きが完了するまでの間は、就労が認められるようになり、その後難民申請が急増しました。その結果、政府は「難民ではない多くの人が難民申請をしている」とし、二〇一八年、偽装難民の申請を防ぐために、この制度の運用をさらに厳しくしています。

ちなみに二〇二〇年の海外の難民認定率を見てみますと、カナダが五五・二％、イギリスが四七・六％、ドイツ四一・七％、アメリカ二五・七％、フランス一四・六％などとなっており、日本の〇・五％がいかに低いかがわかります。

確かに日本での就労を目的に、申請をする偽装難民もいるでしょう。しかし、そもそも難民が自身で本国に帰れない理由を証明しなければならないという日本のやり方が、認定率を下げる一因にもなっています。迫害などで生命の危険を感じ、やっとの思いで逃れてきた人たち

図10　難民認定率 国別比較(2020年)

国名	認定数(人)	認定率
ドイツ	63,456	41.7%
カナダ	19,596	55.2%
フランス	18,868	14.6%
米国	18,177	25.7%
英国	9,108	47.6%
日本	**47**	**0.5%**

※認定率は、その年の認定数を、同年の認定数と不認定数の合計で割った百分率として算出。

出典・参照：UNHCR Refugee Data Finder, 法務省発表資料、認定NPO法人 難民支援協会HPを参考に作成

が、その状況を客観的に証明するのは、簡単ではありません。

そして、難民申請が棄却《ききゃく》されると、多くの場合は国外退去となります。国際法には「ノン・ルフールマンの原則」と呼ばれる難民保護のルールがあり、難民を生命や自由が脅かされるおそれのある国に、強制的に帰してはいけないことになっています。

日本の難民保護の姿勢は、世界との差があまりに大きく、国連などからもたびたび指摘され、改善を求められています。

収容の問題

二〇二一年二月、政府は「出入国管理及び難民認定法及び日本国との平和条約に基づき日本の国籍を離脱した者等の出入国管理に関する特例法の一部を改正する法律案」を閣議決定しました。なんとも長い名前の法案です。この法案では、国外退去命令に従わない場合、一年の懲役または二〇万円以下の罰金が科せられる可能性があります。さらには、法務省が難民申請を二度却下した場合、三回目以降は相当な新しい理由がない場合は国外退去になるというものです。つまり、帰国できないどんな理由があっても、三度以上の申請をしている人は、迫害の恐れのある国に帰される可能性があるのです。

政府は、在留資格期限を過ぎても日本にとどまっている、いわゆるオーバーステイなどで国外退去処分を受けた外国人が送還を拒否することが相次いで、入管施設などでの長期収容が問題になっているため、それを解消するための法案だと説明しています。

これに関しては、国内外から非難の声が上がり、政権の支持率の低下も考慮してか、政府は法案を取り下げています。

一部の難民申請中の人や、国外退去を命じられても応じられない人が収容されているのが、入管の収容施設です。二〇一九年の時点で、日本の九か所の施設に収容されている人は、一二五三人で、そのうちの半数以上が六か月以上もそこにとどまっています。収容施設といいますが、拘置所と同じレベルの居住環境なのです。

二〇二一年三月、名古屋出入国在留管理局に収容されていた、スリランカ人のウィシュマ・サンダマリさんが死亡しました。ウィシュマさんは体調の悪化で食事がとれなくなり、入院や点滴を求めていました。医師からも入院などの措置をとるように指示があったにもかかわらず、入管はそれを許可せず、死に至りました。名古屋入管は「適切に対応していた」といい、それにかんする調査も、あくまでも内部調査でした。その後、出入国在留管理庁は、「危機意識に欠け、体制が不十分だった」とする最終報告書をまとめ、名古屋出入国在留管理局長と次長を訓告に、警備管理官二人を厳重注意の処分にしました。その一方で、ウィシュマさんの遺族や弁護士が開示を求めていた看守勤務日誌や健康状態を示す診療結果報告書が、三か月後に届きましたが、その関連の行政文書、一万五千枚のほとんどが黒く塗りつぶされたものでした。

二〇一九年には、長崎県の入管施設で、長期収容に対して抗議のハンガーストライキを行っていたナイジェリア人男性が死亡しています。入管施設での自殺も後を絶ちません。

収容は保護ではなく、身体の自由を奪われるものです。その長期化は、人権侵害にあたります。長期収容されている人たちの多くは、自国に戻ると迫害の恐れがある難民認定申請者や、日本に家族があって自国には帰る場所もない人たちだと言われています。

こうした人たちを、拘置所と同じような施設に収容することはまさに「犯罪者扱い」をしていると批判されても仕方がないでしょう。日本人も外国人も、人間として同じ権利、つまり人権を持っています。このままでは「日本は人権後進国」と呼ばれてしまいます。いえ、もう既にそう呼ばれているのです。恥ずかしいことだと思いませんか。

Q 40 技能実習生は人身売買？

二〇二一年七月、アメリカの国務省は、日本の外国人技能実習制度について、「外国人労働者搾取のために悪用し続けている」とし、日本政府の取り組み方に問題があると指摘しました。技能実習制度とは、どのようなものなのでしょうか。

技能実習生とは

そもそもは、自国では習得が困難な技術を日本で学び、帰国後にその技術を生かして、母国の経済発展を支えてもらおうという制度です。

一九九〇年に改正出入国管理法が施行され、外国人研修・技能実習制度がつくられました。しかし「研修」という名のもとに、一部の受け入れ機関が低賃金で働かせたりするなどの問題が多発したため、一九九三年に新たな「技能実習制度」がはじまりました。これは、一年目を座学や実務研修を受ける研修生とし、二年目から三年目を技能実習生として働くというものでした。

さらには、海外で一か月以上の講習を受けた場合、日本での一か月の講習を経て、一年目から技能実習生として受け入れられるようになりました。

技能実習法（外国人の技能実習の適正な実施及び技能実習生の保護に関する法律）には、次のような理念が掲げられています。

①技能等の適正な修得、習熟又は熟達のために整備され、かつ、技能実習生が技能実習に専念できるようにその保護を図る体制が確立された環境で行われなければならないこと。

②労働力の需給の調整の手段として行われてはならないこと。

つまり、あくまでも国際協力が目的の制度であり、安価な労働力を提供するものでも、人手不足を補うものでもないとされているのです。

その後も、適正な実習や実習生の保護などを取り入れた法律の改正が行われ、二〇一七年には、外国人技能実習機構（ＯＴＩＴ）が設立されました。

技能実習生の受け入れには、企業単独型技能実習と団体監理型技能実習の二種類があります。企業単独型は、日本の企業が、海外の現地法人や取引先企業の職員を実習生として受け入れるものです。もう一方の団体監理型は、非営利の監理団体（協同組合や商工会など）が実習生を受け入れて、傘下の企業で実習を行うものです。

実習生の現実

技能実習生は増加の傾向にあります。二〇一九年の時点で、三六万六〇〇〇件を超えています。国別では、ベトナムが五三%を超えてトップで、中国、インドネシア、フィリピン、ミャンマー、タイ、と続いています。

業種別では、建設関係が二〇・八%、食品製造関係が一八・八%、機械金属関係が一六・一%、農業関係が八・九%となっていますが、さらに詳しくみると、二万人以上実習生がいる職種は、耕種《こうしゅ》農業、とび、そう菜《ざい》製造業、溶接《ようせつ》があります。

日本で技術を習得し、母国の経済発展に貢献するという国際社会にむけての大義名分はありますが、しかし裏側には、実習生側も受け入れ団体や企業にもそれぞれの事情があります。つまり、実習生の多くが貧困農村部の出身で、「出稼ぎ」を目的としています。一方の日本の団体や企業側も、その一部は、安価な労働力を求めての受け入れであったりしているのです。

そのため、外国人技能実習生をめぐるトラブルは、以前から頻発していました。賃金の未払いや契約外の長時間労働、劣悪な生活環境からの実習生の脱走など。これらはいずれも人権侵害にあたるとされ、国連などからも改善の指摘があったものの、大きな改善はみられません。

かつては技能実習生の大半が中国からでしたが、近年は、ベトナムが圧倒的に多くなっています。その背景には、ベトナムには実習生を送り出す組織が多数存在し、日本の受け入れ団体がそうした組織に頼っている現状があります。

送り出す側は、技能実習生として日本で働ける、という謳《うた》い文句で日本語学校の生徒を集めます。そこで事前の研修を行うのですが、学習期間の寮費や食費、パスポート取得や手続きなどの費用が必要になります。悪徳ブローカーであれば、数十万円を上乗せされ、それが出発前の借金になるのです。

なんとか実習生として日本にやってきても、母国で聞かされていた賃金と大幅に違うケースもあります。来日前は、賃金の総額しか知らされず、実際に受け取ってみると、監理団体の監理費や寮費などが差し引かれ、そこから借金の返済まで引かれると、家族への仕送りどころではない、というケースも多くあります。

その結果、研修の意欲も失い、不法に滞在する元実習生を頼って、そこで犯罪に走る事態も少なからず起こっているのです。

七割の現場で違反

ちなみに二〇一九年、全国の労働基準監督機関が実施した、実習実施者に対する監督指導で、九四五五件のうち六七九六件で法令違反が認められたと報告されています。内容は、労働時間に関する違反、安全基準に関する違反、割増賃金に関する違反が上位を占めています。

もちろん、制度の意義を理解し、法律にのっとって実習生を受け入れている企業もありますが、七割以上の現場で違反があるというのは、意識に問題があると言わざるを得ません。

改善意識の見えない政府の対応

質問にもありましたように、二〇二一年、アメリカ国務省は、世界各国の人身売買に関する報告書を発表し、日本については国内外の業者が外国人技能実習制度を「外国人労働者搾取のために悪用し続けている」と指摘しました。日本政府の取り組みは、「最低基準を満たしていない」としています。その上で、雇用主から虐待を受けたり、強制的な労働に従事させられたりする外国人技能実習生たちの支援活動を行っている、指宿《いぶすき》昭一《しょういち》弁護士を人身売買と闘う

「ヒーロー」の一人として選んでいます。

指宿弁護士は、技能実習制度について、「日本政府は人身取引の温床になっているという事実に目を向け、恥であることをしっかり認識し、一刻も早く廃止に踏み切ってほしい」と述べています。

一方で、これをうけた日本政府ですが、上川陽子《かみかわようこ》法相は「人身取引撲滅の取り組みを一層押し進めたい」と言いつつ、「（アメリカ国務省の報告書は）米国が独自に作成したものだ。法務省として答える立場にない」と述べるにとどめています。

さらに加藤勝信官房長官は、同制度について「違反が認められれば行政処分なども含め厳正に対処する」と、ごく当たり前の見解を述べているだけです。いずれも、問題視するようなことではない、という態度です。

Q 41 日本政府はなぜ、海外の人権侵害問題に意見を述べない？

近年、世界各地での人権侵害の報道が目につきます。これに対し、先進国の首脳や政府は、抗議の声明を発表したりしていますが、日本政府の強い意見をほとんど聞きません。これには、どのような背景があるのでしょうか。

中国のウイグル人強制収容

最近問題になっているのは、中国の新疆《しんきょう》ウイグル自治区での強制収容や強制労働です。新疆ウイグル自治区には、ウイグル族という中国で多数派の漢民族とは異なる民族が多く住んでいます。彼らはイスラム教徒であることから中国共産党の統治に従わない人もいます。イスラム教徒はアッラー（神）を信じていますから、中国共産党よりアッラーを大事にしています。それが共産党は許せないのです。なにより共産党を一番に考えるべきだというわけです。

そこで「共産党を大事にしろ」という教育を叩き込む施設を次々に建設しています。しかし中国政府は、ウイグル人たちのための「職業訓練所」だと弁明しています。

これに対しアメリカのバイデン政権は、二〇二一年三月三〇日、「ジェノサイド（民族大量虐殺）が行なわれている」とする調査報告書を発表しました。ウイグル人の女性たちに強制的に不妊手術をして、ウイグル人たちの人口が増えないようにしているというのです。

米、英、カナダと独、仏、伊などEUは制裁に踏み切り、オーストラリアとニュージーランドも制裁賛成の共同声明を出しています。

日本はというと、二〇二一年六月、国連人権理事会が発表した、ウイグル人の人権状況について「深刻な懸念を抱いている」との共同声明には参加しました。

しかし、制裁については「（欧米と）考え方は完全に共有している」（茂木《もてぎ》敏充《としみつ》外相）、「深刻な懸念」（加藤勝信官房長官）を表明しただけで、Ｇ７（主要七か国）の中で唯一、制裁に加わっていません。

加藤官房長官は制裁ができない理由について、「現行の外為法（外国為替及び外国貿易法）に人権問題のみを直接、あるいは明示的な理由として制裁を実施する規定はない」と〝法の不備〟をあげています。だったら制裁ができるように法律を整備すればいいのですが、政府に動きがありません。つまり、これは言い逃《のが》れに過ぎないのです。

そこには中国への配慮が見えます。中国を批判すると、中国が貿易で嫌がらせをしてくるだろうと恐れているからです。日本の経済は、いまや中国との間の貿易によって支えられるまでになっています。中国を怒らせると経済に打撃があると思っているのです。

ミャンマー　デモに対する軍の行動

二〇二一年二月一日、ミャンマーでは軍によるクーデターが起こり、国家顧問のアウンサンスーチー氏も拘束されました。これに抗議する市民たちに軍の兵士たちが発砲。多くの国民が亡くなっています。欧米諸国はミャンマーに制裁を科していますが、ここでも日本は制裁を行使していません。

日本政府はここでも「人権問題のみを直接、あるいは明示的な理由として制裁を実施する規定はない」（加藤官房長官）との立場なのです。

日本はミャンマーに対する世界最大の援助国で、二〇二〇年にはヤンゴンとマンダレーを結ぶ鉄道やヤンゴンの下水道などの大型インフラ事業を含め一八九三億円の供与を決めています。累計では、有償、無償、技術協力合わせて二兆円近い支出をしています。

日本はミャンマーと経済的に大きな関わりがありますから、軍事政権を怒らせると、経済的に打撃を受けてしまうと考えています。つまり状況は中国と同じなのです。日本に在住するミャンマー人たちは、「ミャンマーの軍事独裁をやめさせるために日本政府は力を発揮すべきだ」と主張していますが、当の日本政府はここでも弱腰なのです。

アメリカ　アジア系への暴力

人権問題といえば、アメリカでアジア系の人への暴力事件が相次いでいます。きっかけは二〇二〇年春、当時のアメリカのトランプ大統領が、「中国の武漢から感染が拡大した新型コロナウイルス」を「チャイナ・ウイルス」と呼んだことです。

トランプ大統領は、アメリカ国内で感染を抑えることができず、中国に責任を転嫁する言い方をしたのです。これ以降、アメリカに住んでいる中国系の人ばかりでなく日本人や韓国人も、「中国人は出て行け」と言われて暴力を振るわれる事件が相次いでいます。

アメリカでは白人、黒人を問わず、アジア系の人たちへの差別意識を持っていることが明らかになりました。新型コロナウイルスの感染拡大で、不安に思っている人たちが、自分たちより弱い立場の人を見つけて暴力を振るっているのです。

危機的な状況が生まれると、自分たちが日ごろから持っている差別意識や偏見が突然噴き出してくる。アジア系の人への暴力の増加は、そんな本音を明るみに出したのです。

　そしてもちろん、日本政府はこの差別的行動に関して、批判的な発言をしていません。なにしろアメリカ国内のことですから、他の例を見てもわかるでしょうが、日本が口を出すはずはありませんよね。

　しかし、日本は民主主義国のはずです。世界のどこで起こっていることであろうと、人権を大切にしなければなりません。

　さらには、人権はあらゆる政治や経済に優先されなければなりません。つまり、相手国とどういう関係にあろうと、どういう政治的背景があろうと、それらとは切り離して人権問題に対しては、声を上げるべきなのです。

「民主主義こそが大切なのだ」ということを堂々と主張していかないと、世界の民主主義国から信頼されなくなってしまいます。そのことをわたしたち国民も、見過ごしてはならないのです。

Q 42 日本はなぜ「核兵器禁止条約」に批准しない？

二〇一七年七月に成立し、二〇二一年一月に発効した「核兵器禁止条約」ですが、被爆国である日本は、これに参加していません。どういうことなのでしょうか。

核兵器禁止条約

核兵器の使用が人類に何をもたらすかは、世界の誰もが知っているはずです。その核兵器を使わないようにするには、核兵器をなくすことが一番です。

二〇一七年七月の国連総会において、核兵器の全廃を求めた国際条約「核兵器禁止条約」が、一二二の国と地域の賛成により採択されました。核兵器廃絶国際キャンペーン（ICAN）は、この条約の推進に多大な貢献をしたとされ、二〇一七年にノーベル平和賞を受賞しました。被爆者であり、ＩＣＡＮのメンバーでもあるサーロー節子さんは、受賞式で、核廃絶の実現をあきらめないように世界に呼びかけました。

しかしながら核保有国である、アメリカ、イギリス、フランスは署名も批准もするつもりがないことを宣言。ロシア、中国、インド、パキスタン、北朝鮮も核兵器禁止条約交渉会議に不参加でした。さらにはアメリカと同盟関係にある日本をはじめ、カナダやドイツなどのＮＡＴＯ加盟国（オランダは参加して反対票を投じた）、オーストラリア、韓国なども不参加でした。

この条約が発効するには、五〇の国と地域の批准が必要で、二〇二〇年に批准する国と地域が五〇に達し、発効に至りました。二〇二一年七月の時点ではさらに増え、五五か国の国と地域が批准しています。

日本が参加しないわけ

唯一の被爆国であり、核兵器の廃絶を訴えてきた日本がこの「核兵器禁止条約」に参加しないというのは、驚くべきことです。その日本政府の考えとして、外務省のホームページには、以下のようにあります。

「日本は唯一の戦争被爆国であり、政府は、核兵器禁止条約が目指す核兵器廃絶という目標を共有しています。一方、北朝鮮の核・ミサイル開発は、日本及び国際社会の平和と安定に対するこれまでにない、重大かつ差し迫った脅威です。北朝鮮のように核兵器の使用をほのめかす相手に対しては通常兵器だけでは抑止を効かせることは困難であるため、日米同盟の下で核兵器を有する米国の抑止力を維持することが必要です。」

アメリカの「核の傘の下」にある日本としては、核に守られている以上、核兵器禁止とは言えない、ということなのですね。

日本とアメリカは日米安全保障条約を結んでいて、もし日本が他の国に攻撃された場合、アメリカがその国を、日本に代わって攻撃することになっています。核攻撃に対しても同様で、日本が核によって攻撃されれば、アメリカはその国を核攻撃することになっています。それが抑止力になっているので、アメリカの核兵器の保有を認めざるを得ない、ということなのです。

日本が核の傘の下にありながら、その上で「核兵器禁止」を主張するのは矛盾しているという指摘や批判もあります。日本が難しい立場にあることは否《いな》めません。

意識の薄い日本政府

二〇二〇年八月の、広島平和記念式典、長崎平和祈念式典で、当時の安倍首相が挨拶をしましたが、その両方の内容を比べると九三％が同じ文言で、被爆者団体などから非難の声が上がりました。ほとんどコピペだったのです。

二〇二一年の広島の式典で菅首相は、政府がいわゆる「黒い雨」訴訟の上告をしなかったことに触れ、「熟慮に熟慮を重ね、被爆者援護法の理念に立ち返って、上告を行わないこととといたしました」と、自らの英断のように述べましたが、それまでの長きにわたって被害を訴えてきた人たちには、思いはまるで至らなかったようです。

それどころか、手元の原稿を読み飛ばして挨拶を終えました。直後の会見で陳謝しましたが、読み飛ばしたことより、そのことに気づかなかったことが問題なのではないでしょうか。自分で文章を練っていたら、読み飛ばしたことに途中で気づいたはずです。他人が書いた原稿を読んでいるので、こんなことになったのでしょう。

核兵器禁止条約の第一回締約国会議が、二〇二二年三月に、オーストリアのウィーンで開催されます。二〇二一年の式典では、広島市長と長崎市長がともに、この締約国会議に日本が参加して条約が有効なものになるように政府に求めましたが、政府はこれにも否定的です。

核兵器が破壊的であり非人道的であることは、誰もが認めることでしょう。ならば、人道的な立場に立ち、政治や同盟とは関係なく核廃絶の道を探ることが、被爆国日本にできることではないでしょうか。

政府の対応を見ると、方針はすでに決まっていて、被爆者の意見を取り入れようとする気配すら見えないことは残念です。

池上 彰 いけがみ・あきら

ジャーナリスト。1950年長野県生まれ。慶應義塾大学卒。NHKで記者やキャスターを歴任、94年より11年間『週刊こどもニュース』でお父さん役を務め、わかりやすい解説が人気を博する。2005年よりフリージャーナリストとして多方面で活躍中。現在、名城大学教授、東京工業大学特命教授。関西学院大学、愛知学院大学、立教大学、信州大学などでも講義を担当。著書に、『そうだったのか! 現代史』シリーズ(集英社文庫)、『池上彰の世界の見方』シリーズ(小学館)、『知らないと恥をかく世界の大問題』シリーズ(角川新書)、『なぜ読解力が必要なのか?』(講談社+α新書)、『池上彰の君と考える戦争のない未来』(理論社)他多数。

これが日本《にほん》の正体《しょうたい》!

池上彰《いけがみあきら》への42の質問《しつもん》

2021年11月1日　第1刷発行

著者　池上《いけがみ》 彰《あきら》

発行者　佐藤 靖

発行所　大和《だいわ》書房

東京都文京区関口1-33-4 〒112-0014

電話 03-3203-4511

企画編集　木葉 篤

カバー写真撮影　三原久明

ブックデザイン　鈴木成一デザイン室

校正　小山 晃、谷内麻恵

印刷　厚徳社

製本　ナショナル製本

 ISBN978-4-479-79754-8

http://www.daiwashobo.co.jp